JN027761

大切なのは咬み合わせ

矯正歯科が
わかる本

はじめに

　みなさんは矯正歯科治療に対して、どんなイメージを
もっていますか？

　デコボコの歯並びをきれいにしたり、出っ歯や受け口を
治したり、子どもが歯に金属の装置をつけているアレで
しょ？

　昔はそんなイメージだったかもしれません。

　しかし最近では、子どもの頃に歯並びが気になっていた
けれど時間や費用の問題で受診できず、大人になり余裕が
できたからと来院される成人の患者さんも増えてきました。

　矯正治療がお子さんだけではなく、成人でも治療可能と
認知されてきたからだと思います。

　お子さんの場合、学校の歯科健診で咬合状態の指摘を受
け、初めて咬み合わせがよくないことに気づかれて来院さ
れる方もいらっしゃいます。

　歯並びや咬み合わせが健康に影響していることをご存知
ですか？

　歯並びや咬み合わせが誘因となる不定愁訴があることを
ご存知ですか？

　その不定愁訴を改善するために矯正治療を始めてみませ
んか？

　残念ながら咬み合わせが原因と認識していない方も多
く、矯正治療を行っている歯科医師でさえ不定愁訴が緩和

できるとは思っていないようです。さらに憂慮すべきことは、矯正治療により不定愁訴を発現させてしまう歯科医師が増えてきている現状です。

　現在、歯科医師の総数は約104,000名で歯科医院数は約68,800施設となっています。

　そのうち矯正歯科を標榜している医院は27,000軒あまりですが、日本矯正歯科学会の入会者は約8,000名に過ぎず、その中でも認定医は約3,200名とさらに少なくなってしまいます。

　つまり、矯正歯科を標榜していても、矯正歯科学会に入会せず、学会からの連絡等も周知されないまま、独善的な治療を行っていることが問題なのです。

　2015年には消費者委員会特定商取引法専門調査会で、美容医療の範疇の審美歯科と同列に、矯正治療もホワイトニングなどと一緒に審議されたことを知らない先生が多いようです。

　その結果、ホワイトニングは2017年12月から特定商取引法の規制対象となりましたが、矯正歯科は次回審議までペンディングになっています。このままの状態で、矯正歯科界の自浄作用がなされなければ、特定商取引法の指定を受けてしまうのではと危惧しています。

　　　　　　　　　　　2020年6月

　　　　　　　　　　　　　　牛久保 順一

推薦の言葉

「低被曝で高画質な矯正歯科用レントゲン装置を開発して欲しい」

牛久保先生の何気ない一言に心動かされて開発したのが、PanoACT ART Plus シリーズでした。

低被曝かつ高画質という常識的に相反する性能を実現するべく、注目したのは JAXA で研究されていた宇宙線をもキャッチする特殊な半導体センサー。弊社独自の画像処理技術との組み合わせにより、世界に例のない革新的な製品が出来上ったときには、とても喜んでくださいました。

冒頭の一言からも伝わるように、牛久保先生は常に患者さんの立場に立って、安全、安心な矯正治療をされてきました。

「先生には子どものときからお世話になっていて……」
と待合室で話していた患者さんの笑顔をよく思い出します。

また、他院でスピード重視の治療をした結果、その後支障が出てしまい、再治療のために先生のもとを訪れる患者さんもたくさんいます。

牛久保先生の治療の魅力をぜひ確かめてみてください。

株式会社アクシオン・ジャパン代表取締役社長
櫻井 栄男

目次 CONTENTS

第5章

これからの矯正治療

おわりに ……

確認書 ……

第 1 章

矯正歯科治療の概略

歯をきれいに並べるだけの
矯正治療でよいのでしょうか？

　歯が正しい位置にないときれいに発音することができなかったり、しっかり咬みしめられなかったり、そのために運動能力や脳の働きにも影響があることがわかってきました。

　自分の歯でしっかり正しく咬めることを目標に、その結果として歯並びがきれいになることが矯正治療の本来の目的だと思います。

　矯正治療と混同されることが多い審美治療とは何が違うのでしょう？

　矯正歯科では咬み合わせを第一に考えて、長い期間をかけて歯並びを治します。

　審美歯科では基本的に歯の根の位置を変化させずに、削ったり補綴物にかえたりして短期間で見た目を重視した治療をしています。

　矯正治療に比べ、圧倒的に治療期間が短いのが利点といわれていますが、自分の歯で咬めるようにするのと、補綴物に置きかえるのでは将来どちらが長持ちするかは容易に想像できると思います。

　矯正治療は歯を動かすことで、歯が生えている歯槽骨という骨の形態も変化させることができるので、顔貌などの改善も期待できます。

　しかし最近、矯正治療も標榜している一般歯科医院の中

には審美治療との境界を曖昧にしている医院もあり、患者さんが正しく判断されるのは難しいようです。

　矯正歯科専門の医院、矯正歯科を併記標榜し大学の矯正科の研修医がアルバイトで勤務している医院、一般治療の合間に矯正治療を行っている医院などもありますが、患者さんが看板等から違いを判断するのは困難ではないでしょうか。

　矯正治療を受けようと思った時に、治療費が安く、さらにむし歯※の治療も一緒にしてくれて通院しやすいなどという理由で医院を選んでいませんか？

　※虫のいる歯をイメージして漢字で『虫歯』と書かれることが多いですが、『むし歯』と書くのが正しい表記方法で蝕（むしば）まれた歯、つまり齲蝕歯（うしょくし）のことです。

　現在はネット社会で簡単にいろいろな情報を得ることができます。

　ネットで評判の歯医者さんに行ったら書き込みとはまったく違っていたということもありますので、ご自分でしっかり判断されることが一番大事だと思います。

　矯正治療で歯を抜く必要がない、むしろ抜いてはいけない症例にもかかわらず、術者の経験が浅く簡単に抜歯矯正をされてしまった場合、抜いてしまった歯を元に戻して再治療して欲しいと希望されても、残念ながら不可能なことです。

基本的に不要な歯など1本もありません。

　歯科医師は資料を採り診断し、抜歯の必要性等を充分説明した上で、同意を得てから治療を開始しなければなりません。

　患者さんは、すべての資料をしっかり説明してもらい納得した上で矯正治療を始めるべきです。

　資料や説明の不充分な医院では矯正治療を受けるべきではありません。正しい診断ができずに満足な治療結果が得られるとは思いません。

　本書は、矯正治療とはどのようなものか、当院で採得している資料をどのように診断に役立てているのかを解説しています。

　当院での治療等の具体例を載せ、患者さんが治療を受ける際に少しでも参考になればと書きました。

　さらに私が勉強を始めてからの50年間で矯正治療はどのように進歩してきたか、また現在の矯正治療の問題点についても触れてみました。

　後半では、インターネットサイトの『デンタルン』内のQ＆Aコーナーで私が回答させていただいた質問に補足の説明を付記し、掲載しています。

　最後に、皆さんが実際に矯正歯科を選ぶ際にはどんなことに注意すればよいのかを書いています。

　矯正治療を始める前に「**確認書**」を書いていただくこと

をおすすめします。

　すでに出されている医院もありますが、患者さんの権利を守るためにも必要ですので、担当医に署名捺印してもらい保存しておかれると良いと思います。

　本書の巻末に添付してありますので、ご活用ください。

永久歯の名称と役割

　左右を表現するときには患者さん自身の右手側を右側と
いいます。

　本書でもその書き方をしていますので、実際には写真で
左側に見えるのが右側の歯です。

　①上顎左側1番中切歯　②上顎左側2番側切歯　③上顎
左側3番犬歯　③の萌出位置異常の状態を別名「八重歯」
といいます。④上顎左側4番第一小臼歯　⑤上顎左側5番
第二小臼歯　⑥上顎左側6番第一大臼歯　⑦上顎左側7番
第二大臼歯　さらに⑦のうしろに出てくる歯を上顎8番第
三大臼歯といいますが、別名の「親知らず」が一般的に知
られている名称です。

　下顎も同様に、前から順番に番号または名称で呼んでいます。

　この名称は機能をよく捉えており、前歯部（前の部分）
は切歯といい、物を噛み切る役割を表し、臼歯と呼ばれる
後方の歯は物をすり潰す役割を担っています。

　犬歯は全永久歯の中で一番歯根が長く、よく発達してお
り、とても長持ちする歯です。

　機能的には物をしっかりとくわえたり、食べ物を裂いた
りするときに使用します。その形態と位置から顎が横に動
くときのガイドの役目もしており、口唇の裏側で膨隆が適
度な張りをもたせ、きれいな口元をつくっています。

上顎

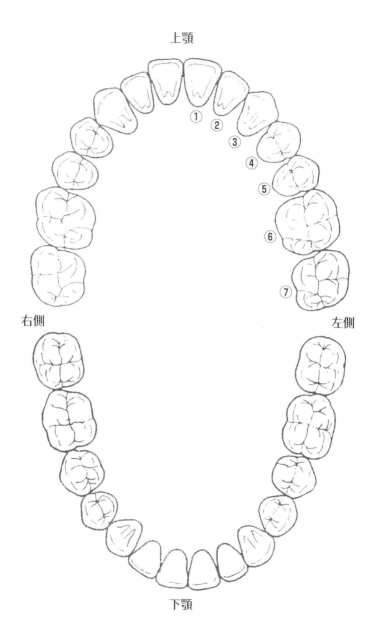

右側 左側

① ② ③ ④ ⑤ ⑥ ⑦

下顎

矯正歯科では犬歯をできるだけ残す方法で治療を進めていきます。抜いてしまうと高齢になってから口唇が後退し、ほうれい線が深くなり老けた顔貌になりやすいのです。

　すべての歯は食べ物を咀嚼して、味覚や食感も神経を通して脳に伝える補助をしています。歯が正しい位置にあることによって、正しい発音ができます。

乳歯の名称

　乳歯は前から順番に**A**：上顎右側乳中切歯、**B**：上顎右側乳側切歯、**C**：上顎右側乳犬歯、**D**：上顎右側第一乳臼歯、**E**：上顎右側第二乳臼歯と呼ばれています。

　永久歯列との大きな違いは、次に出てくる永久歯のためにそれぞれの歯が隣の歯とピッタリくっつかずに隙間（発育空隙）があることです。**E**のうしろから永久歯の第一大臼歯（6歳臼歯）が萌出し、それからだんだんと乳歯が永久歯に生え変わっていきます。乳臼歯は後続小臼歯が楽に萌出できるよう永久歯よりサイズが大きめになっているので、しっかりと歯磨きをしないとむし歯で早く抜けてしまい、永久歯の歯並びに影響が出ることもあります。

　乳歯は永久歯と生えかわるからむし歯になってもいいや、と軽く考えないでください。

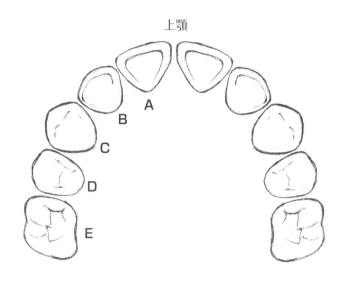

上顎

A
B
C
D
E

右側　　　　　　　　　　　　　　　左側

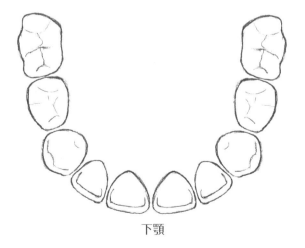

下顎

パノラマ・レントゲン

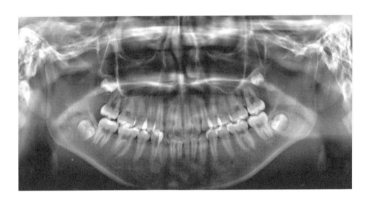

　パノラマX線写真を一般歯科で見たことがある方は上の写真とどこが違うのかわかりますか？

　当院は矯正専門医院なので歯を咬み合わせた状態で撮影をしています。上下の歯がどこで咬んでいるのかを模型と対比したときにわかりやすくするためで、一般歯科では前歯部が重なってしまうと前歯部のむし歯が探しにくいので、探しやすくするため前歯で物を噛んでもらって切端咬合にして撮影しています。

セファロ・レントゲン

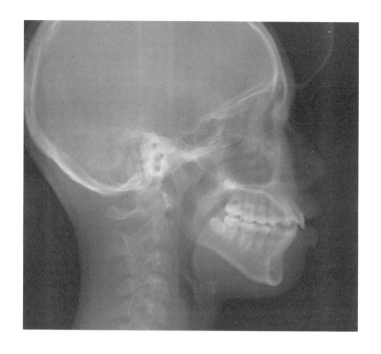

　頭部X線規格写真（セファロ）は矯正治療には必要不可欠で、これなしには正しい矯正診断はできません。

　撮影した画像をトレースして計測することにより、上顎と下顎の骨の成長度合いや位置関係、歯牙の傾きなどを数値化していきます。

トレーシング画像

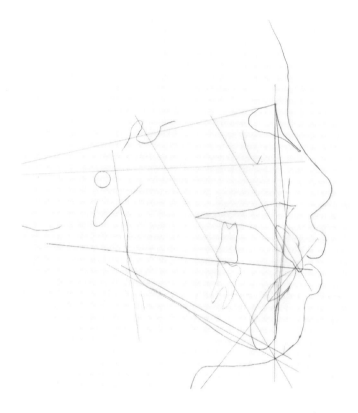

　セファロをトレーシングした図です。この図を計測して診断し、治療方針を決定します。

なぜセファロが必要なのか、日本人に多く見られる症例の一つ、上顎前突（出っ歯）を例に説明していきます。

①上顎骨（上の顎の骨）が過成長傾向で大きいケース
②上顎骨はほぼ正常に成長しているが、下顎骨が劣成長のため小さいケース
③上下顎骨は、ほぼ正常な成長状態であるが上顎前歯部（上の前歯）が極端に前方に傾斜してしまったケース
　③は指しゃぶりなどにより発現します。
　しかし、これら骨格の成長を含んだ問題は肉眼や写真・石膏模型では適切に判断することが難しいので、セファロを撮り計測することで初めて正確な診断ができます。

　矯正治療の計画を立てるための資料は、最低でも顔貌及び口腔内写真、パノラマX線写真、頭部X線規格写真（セファロ）と顎模型は必要です。
　さらに筋電図やモアレ写真を採得することもあります。
　この中の頭部X線規格写真（セファロ）は、肉眼ではわからない顎骨と歯牙の関係を明らかにし、治療方針を決定する際の基準となります。
　これは建築する際に行う地質調査と同じではないでしょうか？
　崖っぷちに家を建てたり、地盤が脆い土地に高層ビルを建てたりしませんよね。
　最近、セファロを撮らずに矯正治療ができると謳ってい

る講習会もあるようですが、確かに資料を採らなくても装置をつけて歯を動かすことはできます。

　しかし、矯正治療の目的はよい咬み合わせを長期間安定させ、患者さんが健康な生活を送れるようにすることです。はたして必要な資料も採らずに診断し治療を行い、安定した咬み合わせを維持できるのでしょうか。

　当院ではトレースしたセファロを説明する際には、頭蓋骨と対比しながらなるべくわかりやすく説明して、理解していただけるよう心がけています。

下の写真は初診時の口腔内です。向かって右側2番が下の歯と反対咬合になっており、向かって左横の下顎の第一小臼歯が内側に倒れて、舌に刺激を与えている可能性があります。また全体的に叢生（デコボコ）になっています。

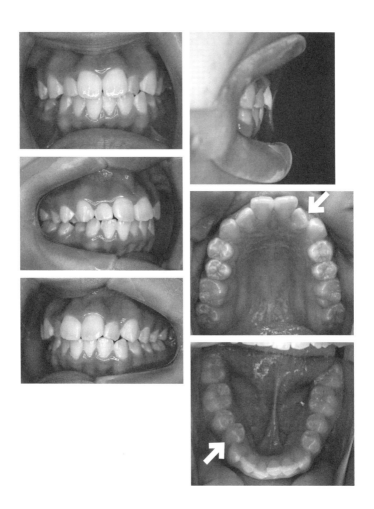

下の写真は初診時に採る模型です。

　寒天印象剤を使用して歯型を採り、石膏を流して模型を作ります。

　当院では、開業時から台付きにして患者さんの初診時と完了時の模型を保存しています。

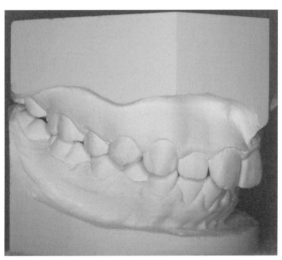

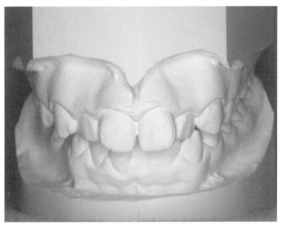

この模型から患者さんが普段咬んでいるのはどこの位置かを観察し、さらに歯の咬耗等を調べ、咬み癖がないかを確認します。

　模型の側面観から、右の第一小臼歯（犬歯のうしろの歯）が鋏状（はさみじょう）咬合になっており正常に咬み合っていないのがわかります。

　さらに模型を裏側から見ることで上下の歯がどこで咬み合っているのかがわかります。これも模型でないと判断できません。

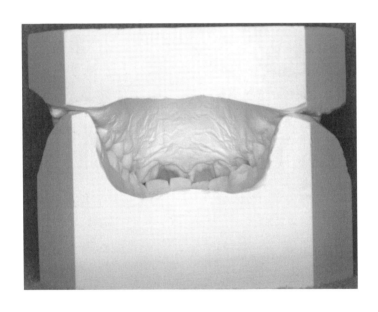

上顎と下顎の模型の咬合面（咬み合わせの面）

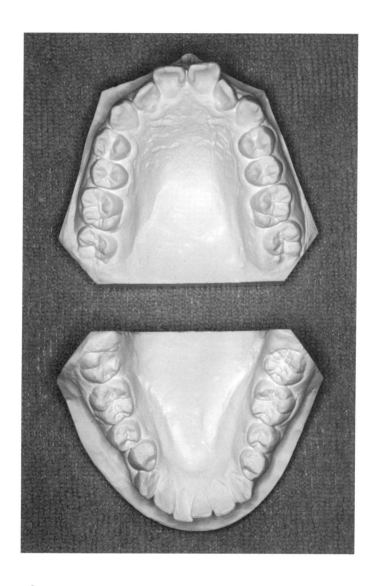

矯正装置の変遷と問題点

　私が歯学部の学生だった頃は、帯冠装置（フルバンド）という矯正装置を勉強しました。製作方法は歯の石膏模型を作り、薄い金属板を歯に一本一本巻きつけ、ロウ着（金属同士を接着すること）し、さらに表面にブラケットをロウ着し、矯正用のバンドを完成させていました。それを歯にリン酸亜鉛セメントなどで合着することで矯正治療を行っていました。

　その後、プリフォームバンドという一体型に成形されたバンドを恩師である松本圭司先生が製品化に尽力され、矯正治療がより簡便になりました。

　さらにダイレクト・ボンディングシステムという方法が日本の大学で開発され世界中に広がりました。

　歯の表面をエッチング（酸処理で粗造にすること）し、接着力を持たせて金属製のブラケットを接着し、アーチワイヤーというステンレス製のワイヤーをベンディング（屈曲）してセットし歯を移動させる方法です。

　写真の左がフルバンド、右がダイレクトボンディング法の治療例です。

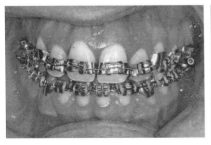
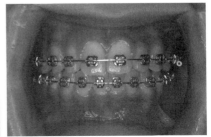

アメリカでは矯正治療を簡略化するために、ブラケットにトルクとアンギュレーション（角度と傾斜）をつけることで、ストレートワイヤーテクニックというベンディングを簡略化した治療法やセルフ・ライゲーションシステム等で結紮の必要もなくしました。

　（ブラケットはアーチワイヤーと固定することで矯正力を伝達させますが、固定には結紮線という細いワイヤーを使ったり、エラスティックのモジュールを使ったりしています。）

　このダイレクトボンディングによる矯正法が今でも主流ですが、問題も出てきました。ブラケットにいろいろな機能をもたせたことで形態が大きくなり、口の中での違和感が増し、上下の装置が干渉することで強い力がかかり過ぎるため、ブラケットが外れてしまうという危険が増しました。

　日本ではどう変化してきたかというと、アメリカほど矯正治療が周知されていなかったので、目立ちにくい装置を開発するようになりました。成人の矯正治療のために、装置を目立たせないように歯の裏側につけるリンガルブラケットや、表側につける透明なセラミックブラケット、コンポジットブラケットなどの審美ブラケットが開発されました。

　リンガルブラケットの欠点は、装置が舌に慢性的な刺激を与えたり発音が不明瞭になったり、汚れが確認しづらい

のでむし歯のリスクが高まることです。

　ある先生のホームページに、舌側矯正ならむし歯になったときにも治療跡が目立ちません、と書かれているに及んでは開いた口が塞がりませんでした。

　セラミックブラケットが開発された当初は、強度を得るためブラケット自体が大きく高額なものでした。

　ブラケットはベース面にアンダーカットを付与し、接着剤で歯の表面に機械的に接着させているため、メタルブラケットではその材質・形状から、ある程度充分な接着力を得られていました。ところが初期のセラミック等の審美ブラケットは充分なアンダーカットを確保できず、当時の接着剤では脱落しやすいという問題がありました。

　使用された先生から「コストが高いのに外れやすいのは困るよ」と言われたメーカーは接着力の強い接着剤を開発するようになりました。

　ダイレクトボンディングが開発された当初は、ブラケットに過度の力がかかると装置が外れることで、一種の安全装置のようになっていました。しかし、強力な接着剤を開発したことで装置が外れにくくなり、その結果セラミックのように歯より硬い材質でできているブラケットでは、対合している天然歯が削れてしまうという問題も出てきました。

　そこでメーカーはブラケットのまわりにつけるゴムの衝撃緩衝装置などを開発し発売していましたが、本末転倒ですぐに販売を中止したようです。

コンポジット系のブラケットは素材が樹脂のため、長く使用していると色調も悪くなり、強度的にも劣化し正しい矯正力がかかりにくくなります。しかも角ワイヤーを使って、しっかりと矯正力をかけたい時期は、治療も完了に近づいた最終段階の頃なので厄介です。

　樹脂製ブラケットについて、平成21年7月16日に開催された第68回東京矯正歯科学会大会の特別講演『「共生の意味論」きれい社会の落とし穴～アトピーからがんまで～』の中で藤田紘一郎先生（人間科学総合大学教授）が、ブラケットから溶出するビスフェノールＡが、安全とされた基準値より低くても問題であると話されていました。

　哺乳瓶がポリカーボネート製からガラス製に戻されたのもこれが理由であり、古くは学校給食の食器がユリア樹脂からアルマイト製に代わったのも、煮沸消毒の際のビスフェノールＡの溶出を考慮したからです。

　この事実は厚生労働省のホームページからも確認できます。

　コンポジットブラケットの発売時、先輩の先生からこの事実を聞き確認し、危険性を認識していたので使用していません。

　ビスフェノールＡの危険性については以前から矯正機材メーカーの営業の方にも話しておりました。

　その営業の方が「先生が言われていたのはこれですね」と平成20年5月14日付の毎日新聞夕刊の「ビスフェノー

ルＡ・プラスチックの原料──胎児に影響」という記事を見せてくれました。

　初診の患者さんで審美ブラケットを希望される方にはその記事を読んでいただき、安全性を考慮するため当院では使用していないことを説明しています。

　その矯正材料メーカーでは、現在ビスフェノールＡを含まない審美ブラケットを開発し、発売されています。

　また以前、小学校の校医をしていたときに女子児童がコンポジットブラケットで治療をしているのを見ました。その危険性は学会や新聞等にも取り上げられており、本来成人向けに開発されたにもかかわらず子どもたちに使用している事実を見て心配になりました。

　現在はブラケットの多様化により、接着力の強いボンディング剤が求められています。しかし、過度の力がかかってもブラケットが外れにくく、歯にダメージを与え続けた結果、歯根が歯槽骨から出てしまった事例もあるようです。さらにディボンディング（矯正装置の撤去と接着剤の除去）の際に、接着剤が取りきれずに残ってしまったり、無理に取ろうとして歯にクラック（ヒビ）を入れてしまったりする危険も無視できません。

　主にステンレススチール製だったワイヤーも、チタン製で弾力があり持続的に矯正力がかかるものや、形状記憶合金のように口腔内の温度で力を発揮させるものが開発され、継続して力がかかるので患者さんの負担は減ってき

ました。

　また、固定性装置を撤去したあとは、後戻りを防止する目的で保定装置を使用しますが、昔はリテーナー（床型保定装置）という可撤式のものを装着することが一般的でした。

　現在はフィックス・リテーナーという歯の裏側に貼りつけるワイヤー状のものが主流となっていますが、ブラッシングの徹底が難しく補助具であるデンタルフロスによる隣接面の清掃ができないことも問題です。当院では使用せず可撤性の装置でのみ保定を行っています。

第 2 章

矯正治療は
何歳から行うのがベストか

当院の治療方針と特徴

　当院の特徴は長期にわたる咬合の管理と徹底したブラッシング指導にあります。

　矯正歯科の目標は、むし歯を作らせず健康な歯でしっかりと咬めるように治療することだと思います。

　当院では他医院で当たり前のように実施されている、Ⅰ期治療・Ⅱ期治療という考え方をやめました。その理由は永久歯咬合の管理には第二大臼歯の咬合が確立したことを確認するのが不可欠と考えたからです。

　装置や治療法も同様でいろいろな治療方法を紹介し、「さあどれにしますか？」というようなことはしていません。患者さんに最適と思われる治療法を説明し、納得していただいてから治療を開始しています。

　ブラケットを使用する場合は、安全性が高く経年変化が少ないという理由から患者さん全員にメタルブラケットでの治療を行っています。

　患者さんの身体のことを第一に考えての方針ですから、変えるわけにはいかないのです。

　最近、目立つ装置は困るので舌側矯正を希望したいという声を耳にすることが増えてきました。

　舌側矯正の利点はなんでしょう？装置が見えにくいので矯正治療をしていることが他人にはわからないと思われて

いることです。

舌側矯正の欠点はなんでしょう? 装置が見えにくいので矯正治療をしていることが他人にわかってもらえないことです。

営業職の方にこの傾向が強いようですが、営業の方で重要なことはしっかり会話ができることではないでしょうか?

舌側矯正は装置が舌にあたり滑舌が悪くなることは避けられません。

相手の方はあなたが矯正装置をつけていることがわかりにくいので、単純に滑舌の悪い方で聞き直したら悪いなと思われ、そのまま曖昧にされるか、勇気を出して「すみませんが、もう一度言ってもらえませんか?」と言われるかのどちらかではないでしょうか。

日本人はおそらく前者が多いと思いますが、それがあなたにとってプラスにならないことは容易に想像がつくと思います。

以前、海外からの宿泊客も多いホテルのフロントマンが、メタルブラケットで矯正治療をし、ハキハキと接客されていたのが印象に残っています。外国の方からは、日本人は民族的に歯並びが悪いと認識されています。

敢えてホテルが、矯正治療中のフロントマンを置くのは日本人も矯正治療の重要性を認識していて、外国語の発音には支障がないよう心がけていますとのアピールのようで、矯正専門医としてはたいへん好感がもてました。

当院でも中学校の女性教諭がメタルブラケットで矯正治

療を始めたところ、かなりの生徒さんが矯正を始めたと報告をいただきました。先生ですから発音を重視されての選択だったと思います。結果的に何人の生徒さんが背中を押してもらったことでしょう。

　矯正歯科も併記している歯科医院を受診した患者さん（8歳女子）のお母さんが、治療方針などに疑問を持ち当院に相談に来られました。

　その医院で「固定性の装置は目立つのでいじめに遭うから、取り外しのできる床矯正装置で3年間治療し、金額は30万円です」と言われたそうです。

　欧米では子どもの歯並びを治すのは親の責任のようです。洋画やテレビドラマでも矯正装置をつけている子どもたちをよく見ます。最近は日本でも普通になりつつあります。

　目立つのでいじめに遭うなどというネガティブな発言は、これから矯正治療を始めようとしている患者さんにするべきではありません。

　またここで問題なのは、充分な資料も採らずに装置と期間と金額を伝え、治療方針を説明していないということです。

　患者さんが8歳では3年間で永久歯列は完成しません。まだ乳歯が残り、生え変わる途中で完了ですか？

　この患者さんは、当院で資料を採り治療方針に納得されて治療を開始しました。治療期間は7〜8年で、第二大臼

歯（12歳臼歯）が咬み合うまで治療を続ける予定です。

　このように当院の特徴は治療期間が他医院と比較すると長いことです。それは極力健康な永久歯を抜かずに無理なく顎骨を成長させたいという思いからです。

　矯正治療中にむし歯を作ってしまったら矯正医としては失格ではないでしょうか。当院では治療開始前にブラッシング指導を行い、正しく磨けるようになってから、初めて装置装着の準備に入ります。

　当院で一番スペースを取っているのはT.B.I.ルームです。

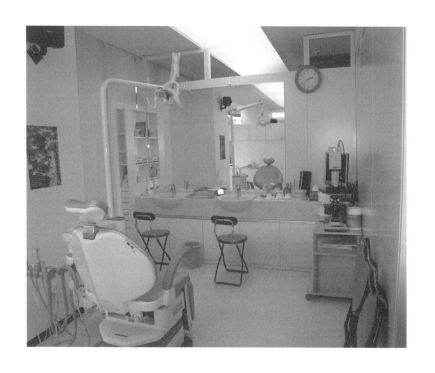

位相差顕微鏡での口腔内細菌の確認や、徹底したブラッシング指導を受けてもらいます。しっかり磨けるように患者さんの最初の頑張りどころです。

　初診時に小学生だった女の子の患者さんが、ブラッシングがうまくできない悔しさで、泣きながら頑張っていました。現在高校生になりましたが、1本のむし歯も作らずに治療を続けています。

　衛生士からとても嬉しかったと、こんな報告もありました。

　学生時代に当院で矯正治療をされた患者さんがお母さんになられ、お子さんの矯正治療に来院されました。衛生士がお母さんに指導した通りのブラッシング方法を、お子さんにもしっかりと伝授されていました。1本のむし歯もなく、指導も大変やりやすく衛生士冥利に尽きますとのことでした。

　ブラッシングコーナーには、小さな患者さんのために、低めのシンクも設置しています。

矯正治療はいつ頃から始めるのがよい？

　症例にもよりますが、できる限り早く始めるのがよいと
思います。

　この患者さんは保健所の3歳児健診の際に私が右側の反
対咬合（受け口）を指摘し、乳歯が萌出完了した4歳になっ
てから来院されました。

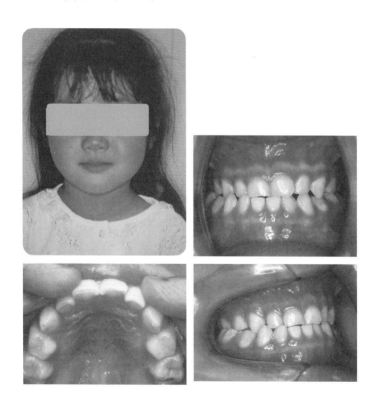

なぜ早く矯正治療をする必要があったのかというと、咬み合わせたときに下顎が右側にズレて、さらに上顎の形も左右非対称で右側が狭くなっていたからです。

　このままでは次に出てくる永久歯（後続永久歯）が、反対咬合の状態で萌出することが懸念されます。さらに毎日この咬み合わせを続けていると、顔が歪んで成長してしまう心配もあったからです。

　治療開始１年後の顔貌と口腔内写真です。右側の反対咬合は改善され、歯の真ん中（正中線）も揃ってきています。

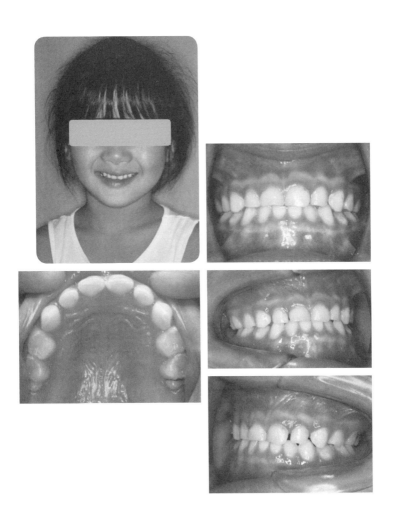

この患者さんは、動的治療期間約 1 年間で舌側弧線装置（Quad-Helix）という固定性の装置を装着していました。

　可撤性のムーシールド（前歯の反対咬合に有効）や床型の矯正装置では左右均等に力をかけることは簡単ですが、本症例のように不均等に力をかける必要がある場合は、力学的なコントロールが難しいのではと思います。

　完了後 4 年経過した 9 歳時の顔貌と口腔内です。お兄さんが矯正治療をすることになり、一緒に来院されたので資料を採らせてもらいました。順調に永久歯に生え変わっていました。何か問題が出たらまた装置をつけようね、とお話ししましたが永久歯の萌出には問題がなかったので矯正治療期間は 4 〜 5 歳までの 1 年間でした。

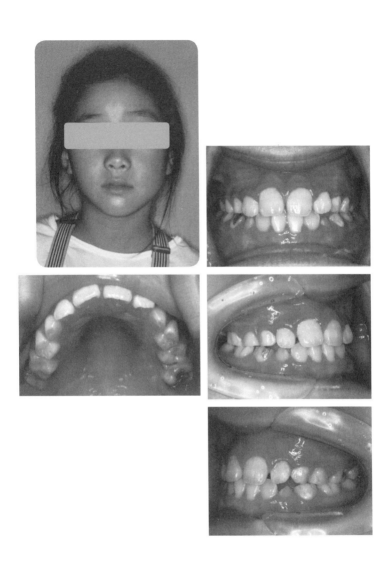

保健所での３歳児健診の際に「前歯が生え変わる７歳くらいになってから矯正の相談に行ってください」とお話ししている先生もいるようです。この患者さんの場合、永久歯になってから矯正治療を始めていたら１年では完了しなかったと思います。また顔も歪んで成長してしまったかもしれません。

　以前、小学校の校医をしていたときの就学時健診での話です。３歳児健診で歯並びの指摘を受けた保護者の方が、母子手帳を持参され「この子の咬み合わせは大丈夫でしょうか？」と質問されました。

　その母子手帳には反対咬合と記載されていましたが、お子さんは正常な咬合でした。

　３歳児健診ではお子さんを医師のひざに寝かせて口腔内をチェックします。泣いてしまうと下顎を突き出してしまい反対咬合と診断されてしまうこともあります。

　私は矯正専門医なので、できるだけ咬み合わせを正確に診るために寝かせずに立たせたまま、「アーン」してもらい検診し、「イー」してもらって咬み合わせを診るようにしています。

　もし指摘を受け不安を感じたら、早めに矯正専門医にご相談ください。

当院の患者さんの症例

◎日本臨床矯正歯科医会大会で展示した症例

　通算27年治療を続けている患者さんです。初診時年齢は9歳で、小児歯科の先生から叢生（でこぼこ）症例で紹介を受けました。非抜歯矯正治療を16歳で完了し、24歳で後戻りのため2年間の再治療をし、テンプレートという装置（後述）を使用して保定を継続している患者さんです。

初診時：1987/10/24　9歳で前歯部に捻れがみられる叢生症例で、乳歯にはむし歯の治療痕が目立ちます。

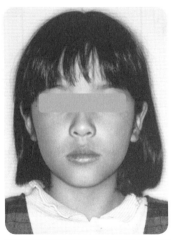
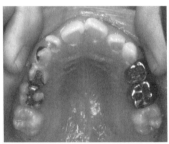
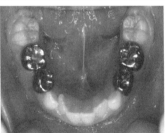
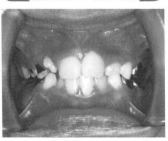

動的治療完了時:16歳時の口腔内です。咬み合わせは安定し、処置が必要な永久歯はありませんでした。

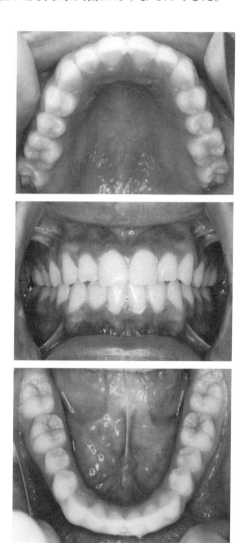

再治療時：2003/08/09 下顎の前歯部叢生の後戻りを主訴に来院されました。

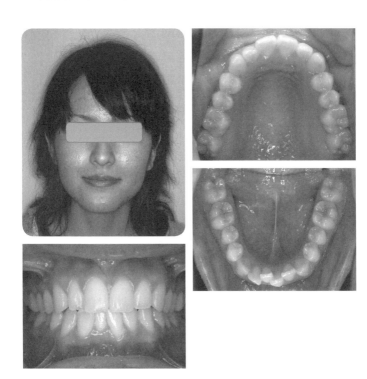

再動的治療終了固定性装置撤去時:

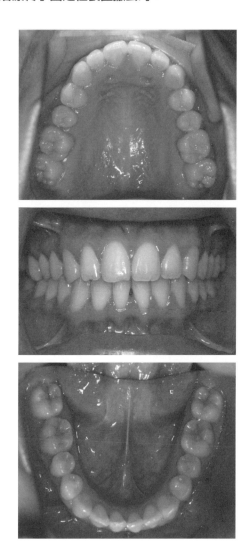

2005 年　可撤性の保定装置（リテーナー）を装着し保定を開始しました。

　2006 年　通常の保定を継続していましたが、コンピュータプログラミングという仕事の関係からか、異常に肩がこるので何とかならないかと相談を受けました。

　同じ頃、咬み合わせを誘因とした不定愁訴に対応すべく、大阪の前原潔先生のテンプレート療法の研修会に衛生士とともに参加し、勉強していましたので患者さんに装着してもらうことにしました。

　※ 1940 年代アメリカで始まったテンプレート療法ですが、当時はスプリント療法とも呼ばれ、歯列矯正後にしばしば発現した頭痛への対策でした。日本では 1985 年、前原潔先生により紹介されました。先生は、新しい歯の咬み合わせ理論 Casey M. Guzay の Quadrant Theorem の著作権を継承し、多くの医師と共同研究を行い、学会で発表されています。

　約 30 年で約 2 万人の経験と治験による実証がテンプレート療法を支えています。アメリカで約 60 年の歴史と日本で成長したテンプレート療法が、歯科から医療へ直接的な貢献をしていることを皆さんに知ってもらいたいと思います。

　　　　　　　　　　(テンプレート療法のホームページから引用)

テンプレートとは、下顎に嵌めて就寝時に使用するこのような装置です。

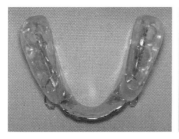 

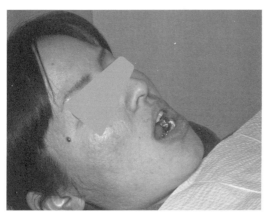

使用中の写真です。

テンプレートを使用し短期間で「仕事から帰宅後、母が肩を揉んでくれるのですが、以前は鉄板が入っているみたいに硬いと言っていたのが、最近は指が入るほど柔らかくなったねと言っていました」と嬉しそうに報告してくれました。

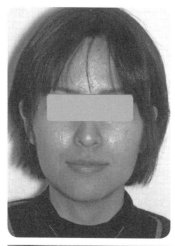
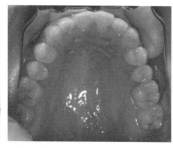
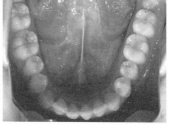
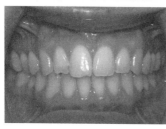

　この患者さんが不定愁訴を発現した背景は、矯正治療で咬合を緊密にさせすぎたことが誘因ではないかと考えていますが、矯正医としては反省しなければならない点です。実際どれだけの先生が理解しているのでしょうか。

成長を考慮して長期間治療を継続した症例

　この患者さんは初診時年齢11歳、上顎前突（出っ歯）だった男の子です。お兄さんも永久歯の先天性欠損があった不正咬合で矯正治療中でした。

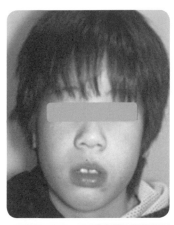
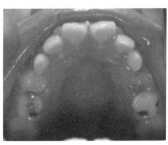
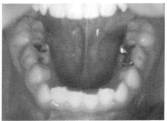

　このような上顎前突の一般的な治療方法は、顎外固定装置（ヘッドギア）等を使用して上顎骨（上の顎の骨）の成長を抑制し、上顎の両側第一小臼歯（前4番目の歯）を抜き、上顎前歯部を後退させるか、咬合のバランスによっては下

顎小臼歯抜歯も検討します。

　または全永久歯が萌出してから上下顎小臼歯4本を抜歯した空隙を利用し、前突及び叢生の改善を行う治療法ではないでしょうか。

　当院では、なぜこのような歯並びになったかを資料から考察します。

　患者さんの顔貌写真から、下唇を巻き込むように噛んでいることが誘因だとわかります。そのため下顎前歯部の歯列弓に丸みがなくなり、フラットになっています。

　その結果、さらに口唇を噛んでしまいやすく上顎前突は進んでしまいます。

　この患者さんの年齢から、今後さらに下顎骨は成長してくるので、口唇を噛む悪習癖を止める目的で下顎の前歯部にだけブラケットをつけ、フラットだった歯並びを丸みのある本来の歯列に改善しました。

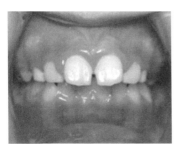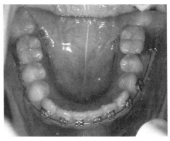

唇を嚙む癖も直ったので、清掃しづらい固定装置は撤去しました。

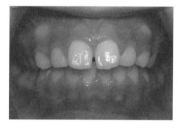 

　その後、正しく下顎が成長できるように、就寝時にテンプレートを使用してもらいました。

　写真は高校生になったときの側貌と口腔内です。

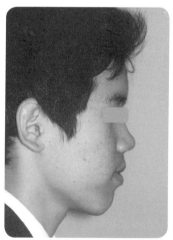 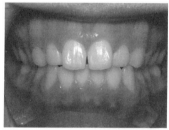

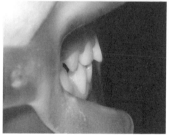

さらに経過観察を行っていた 20 歳時の下顎の咬合面観
です。初診時から 10 年が経過しています。

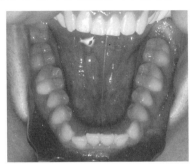

　右側は第三大臼歯（親知らず）まで生えています。
　左側の第三大臼歯が傾斜して生えてきているので、ここ
から再度装置をつけ前歯部の叢生の改善と第三大臼歯の
Upright（正しく起こす）を行いました。
　患者さんに再び装置をつけることを説明すると「今さら
ですか？」と驚いていましたが、装置をつける必要性を理
解していただき装着しました。当院としてはすべての歯で
正しく咬める状態を目指して治療しているので、このよう
に長期にわたるケースもあります。
　ブラケットを再装着し、親知らずを起こしている写真です。

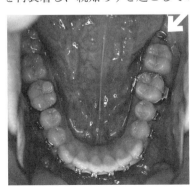

上下前歯部の叢生は改善し、萌出力を利用して左側の第三大臼歯を起こしました。

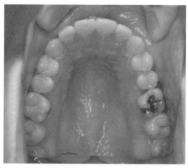

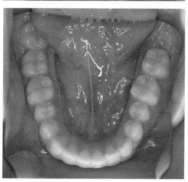

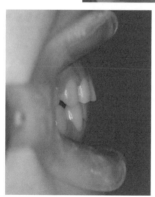

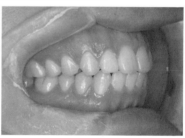

左下の親知らずの萌出方向も確立できたので、ブラケットを外し可撤性の保定装置を装着して親知らずの萌出観察を行っています。

　初診時に採得した資料を精査し、下顎を正しく成長させることができれば非抜歯でも治療可能な症例です。

　出っ歯だった面影もないほど咬合は安定し、すべての永久歯・第三大臼歯までを一本も失うことなく残せました。

　長期にわたる治療期間にもかかわらず、よい結果が出せたのは患者さんの頑張りと努力があったからだと思います。

　矯正治療には、患者さんの治したいという意志が一番大切です。

成人の非抜歯症例

　初診時年齢は43歳で、口腔内が狭いために円滑な舌運動ができず、体調不良等の不定愁訴を主訴に来院されました。

　上下顎は強度の叢生で下顎は後退位（後ろに下がっている）をとっているため、顎運動がしづらくなり体調不良を呈しているのではと考えました。

　ポール矯正歯科の各務肇先生は「下顎はベロの部屋」という表現を使われ、簡単に永久歯を抜歯して歯列弓を狭くしてしまう矯正治療法に警鐘を鳴らしています。

　このケースでは将来的にテンプレートの使用を前提とし、舌の運動域を確保するために上下顎の歯列弓拡大を行い、叢生を改善していく方針で治療を開始しました。

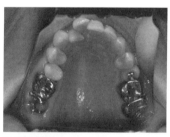
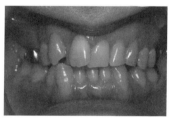

治療開始から1年後の口腔内です。非抜歯でも叢生をこ
こまで改善できました。歯列弓の形も丸くなって舌側転位
していた側切歯が正しい位置に移動したので、舌運動も容
易になり体調も良好になってきたようです。

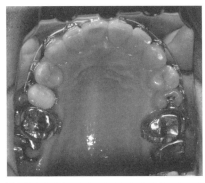

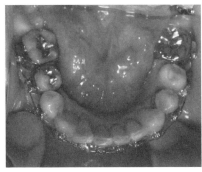

ここからは前方傾斜し過ぎた下顎前歯部を、下顎骨は薄いので歯槽骨から飛び出さないように細心の注意を払いながら、ゆっくりと改善していくことにしました。

　3年かけて歯の角度を改善し、叢生の酷かった下顎前歯部のみ固定性の装置を残し、テンプレートを使用した保定に移行しました。

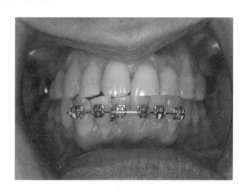

　患者さんは現在50歳になりましたが、歯を1本も失うことなく主訴を改善できました。

　現在はすべての装置を外し、可撤性の装置を夜間に使用して保定を行い、月に一度経過観察を継続しています。舌側転位していた下顎右側側切歯は正常な位置にすると、後戻りの懸念もあったので切端咬合気味にしてあります。

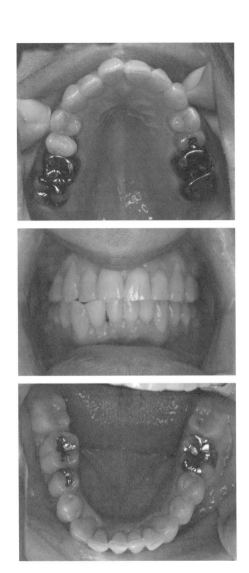

　北海道の千歳で治療を開始、その後仙台の伊藤智恵先生（日本臨床矯正歯科医会）の元で治療を完了し、保定装置のリテーナーを装着された患者さん（当時 34 歳）が 2002 年にトランスファー（転医依頼）され来院されました。

　来院時の口腔内です。

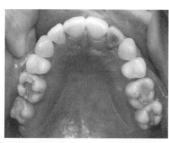

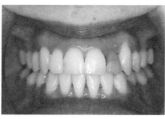

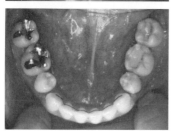

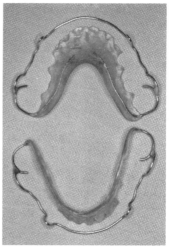

きれいに治療が完了し、写真のリテーナー（床型保定装置）を使用されていましたが、後戻りを考慮し下顎の前歯部裏側にフィックス・リテーナーというワイヤーも装着されていました。依頼を受けてすぐに治療を継続させていただく旨を伊藤先生に連絡しました。当院ではフィックス・リテーナーを使用せずに保定を行っているので、外させてくれませんかとお話ししましたが、2年間はつけておいていただけませんかとのお返事でした。

　2年後、装着されていたフィックス・リテーナー（保定装置）を撤去し、リテーナーのチェックとP.M.T.C.（プロフェッショナル・メカニカル・トゥース・クリーニング）を半年に一度継続していました。

　経年劣化したリテーナーを再製しつつ10年以上保定を継続してきましたが、噛みしめと歯肉の退縮、肩こりの症状が出てきたことからリテーナーの使用をストップし、市販品の歯ぎしり防止装置『歯ぎしりくん a 』の使用をすすめました。半年後に「そういえば最近、肩こりしませんし快調です」と言われ、その後も笑顔でチェックに来院されています。

　2015年の日本臨床矯正歯科医会名古屋大会の際、患者さんの現在の写真を伊藤先生にお見せすると、「まだ診てもらっているんですか？」と驚かれていました。

来院時から12年経過した口腔内（2015年）

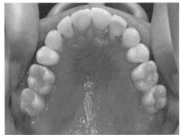

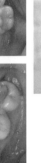

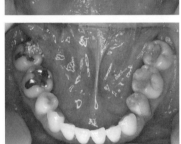

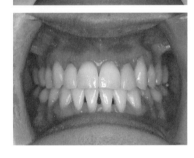

第 3 章

矯正治療を取り巻く環境

当院の患者さんとのエピソード

　私が開業した当初、小学生の姉妹が来院されました。初診時にお母さんは「うちの子には成人式に晴れ着を買ってあげるより、きれいな歯並びにしてあげたいのです」と言われました。患者さんが高校生になり治療を完了したときに、治療を始める前にお母さんが言われたことをお話ししてきれいな歯並びになったことに、ちょっときれいにしすぎちゃったね、と自信を持たせて完了しました。

　数年後、市のミスコンに出られ入選されたそうです。

　次の症例は、治療開始時が小学生の男の子でした。治療完了のコンサルト時に、お母さんから「うちの子は学校の宿題は忘れる、塾へ行くのも忘れる、でも先生のところへ治療に行く日は忘れたことがなく『今日は何話してこようかな』といつも楽しみに、嫌がることなく通院していました。終わりだと思うと寂しくなりますね」と言われましたので、いつでもいらしてくださいとお話ししました。

　数年後、大学生になり「先生、コンピュータ詳しかったですよね？買いに行きたいので一緒に行ってもらえませんか？」と来院されたので、知り合いのコンピュータショップへ買いに行きました。

　私との会話を覚えていてくれたんだなと嬉しくなりました。

なぜ私は矯正専門医になったのか

　私の祖父と両親は、一般歯科の開業医でした。家が歯科診療所だったこともあり、幼少時から進む道は決まっていたようです。大学時代に口腔外科・小児歯科・保存修復科・補綴科などを見学し、漠然と小児歯科医を目指してみようかと思っていました。

　その当時、診療時にゴム手袋を使う習慣はありませんでした。祖父も父もヘビースモーカーだったので、私がむし歯の治療をしてもらったときには手についた煙草の臭いが気になっていました。

　私の学生時代にはかなり煙草を吸っている友人も多く、少し吸ってみましたが、小児歯科医を志すにあたり煙草の臭いはいかがなものかと思い、臨床実習が始まる頃には禁煙しました。

　祖父と両親は一緒に診療していましたが、私の学生時代には歯科医師が増えてきたときでもあり（最近はいささか増えすぎの感はありますが）、親と一緒の医院で開業するのではなく、別の場所で開業される先生も増えてきた時期でした。

　父にすれば、祖父とは受けた大学教育に約30年の開きがあるので、治療の術式も当然進歩しています。治療のやり方で祖父と衝突することも多々あったのではと思います。

　私は小児歯科を専門にしたいと父に相談したところ、歯

科の中でも特殊な分野である矯正科に進んでみないかと言われました。父は私が矯正専門医になれば治療法などで衝突することなく、一緒の医院で診療ができるのではと考えたのではないでしょうか？

　当時は矯正専門開業の医院はほとんどなかったため、矯正歯科を志す学生は大学の矯正科に残って経験を積むのが当たり前の時代でした。しかし、父は私を大学に残すのではなく、父の大学の後輩であり、新宿で「整美会矯正歯科センター」として矯正歯科専門で開業されていた松本圭司先生に「息子をお願いします」と頼んでくれました。

　父のこの慧眼には今でも感謝しています。

　大学卒業後５年間勤務し、矯正治療を一から教えていただきました。整美会矯正歯科センターを開設された松本先生のお父さま・松本茂暉先生は、歯科矯正学を勉強した学生なら知らない者はいない Dr.Angle のアングル・スクールで 1924 年から３年間学ばれ、同期生にはベッグ法を開発した Dr.Begg や、ツイード三角の Dr.Tweed がいらっしゃったというのは矯正医からすると驚きです。

　まさに日本の矯正歯科の礎を築かれた優秀な先生の診療室で学ばせていただいたことが私の誇りであり、臨床の基礎となっています。

　整美会に勤務させていただいたときに、諸外国の著名な矯正医の先生方とお会いすることができ、各大学の矯正歯科学の教授の方々とも親しくお話しさせていただいたことも貴重な経験となりました。

また、大学の矯正科に残っていなければ取得できない日本矯正歯科学会の認定医も、整美会での実績を加味し取得させていただくことができました。現在、片腕として患者さんの治療に従事している歯科衛生士の沖本直子も私の治療法をサポートするため、整美会を退職して開院当初から手伝ってくれています。

　開業以来35年、ドクターと衛生士が変わらず診療を続けていることが、患者さんにとっての安心感に繋がっているのではないでしょうか。

矯正歯科学会について

　諸外国では、矯正歯科は矯正専門医が治療にあたっているようです。

　しかし日本では、専門医でなくとも治療ができる環境になっています。

　私が所属している日本矯正歯科学会は全国的な組織であり、大学関係者や矯正を勉強している歯科医師が入会し、会員数は8,000名を超えています。認定医・専門医制度があり、厳しい審査に合格した者が認定証を手にすることができ、資格継続のためには5年ごとの更新が必要です。

　さらに入会基準のハードルが高い日本臨床矯正歯科医会があります。この会は矯正を専門に開業していることが前提で、会員資格の更新のため、5年に一度の症例発表が義

務付けられています。

　日本矯正歯科学会の認定医資格と日本臨床矯正歯科医会の会員資格には、運転免許同様、更新の義務があるのは大変意義のあることだと思います。

　矯正治療は長期間にわたることも多いため、患者さんの中には治療途中で引っ越しされる際に転医を希望されることもあります。新たに矯正歯科医を探さなければなりませんが、この会のおかげで信頼できる先生に転医依頼できることはありがたいことだと思っています。

　学会のホームページから認定医の名簿が閲覧できます。患者さんが医院を選ぶ際の参考になると思います。

矯正歯科治療の転医返金問題

　ネットのＱ＆Ａに歯列矯正中の転院についての質問がありました。

　質問内容の概略は「転職活動中で転居する予定があるので、矯正治療を始めてしまうと、スムーズに引き継ぎがしてもらえるか心配です」ということでした。

　この質問に対し、ある歯科医師の回答は次のようなものでした。

　「引き継ぐことができる場合もありますが、それぞれの医

院で所定の初期費用がかかり、返金や減額などはないと考えてください。早く治療を始めるメリットもあるのですが、そのためには概算で、費用は倍になると考えてください。引っ越しても患者さんが時間と交通費をかけて通院されればよいだけの話で、治療を中断するのは患者さんの都合になるため、費用は戻りません。

　そして引き継ぎ先の医院を探すのは、治療法の違いもあり困難です。あらかじめ話をつけていないと、金銭面での折り合いもつきません。

　治療途中の状態から、新たに矯正を行うというイメージで考えてみてください。ゴール地点も、新たな先生と診療時間を費やして話し合い、計画を立ててもらい、その後の保証も必要になり、通常と同額の初期費用がかかるでしょう。

　同じ治療法ならついている装置代などに考慮があるかもしれません。

　引っ越し先で引き継げる先生がいるのが明確でなければ、費用が倍かかると思っていた方がよいです」

この回答のどこに問題があるのでしょう。

　まず、「患者さんが時間と交通費をかけて通院されればよいだけの話で、治療を中断するのは患者さんの都合になるため、費用は戻りません」と言っていることです。一般歯科の考え方では中断になるのでしょうが、矯正治療は請負治療であるために患者さんに装置をつけて治療している間は管理義務が生じます。

当院でも患者さんのお父さまが沖縄に転勤され、転居された方がいました。

　当時、患者さんは小学生でしたから、この先生の言によれば「親御さんと毎回約5万円の飛行機代などの旅費をかけて通院しなさい。来ることができないのなら、治療費は返しません」となってしまいます。はたしてこのように言えるのでしょうか。

　矯正治療では治療費を前受金としてお預かりしているので、治療を完了していない段階で継続治療が必要になった場合には、返金する義務があることも知らないのでしょう。

　このような考えで矯正治療費を請求している先生ばかりだと、いずれ特定商取引法の規制対象となってしまうかもしれません。そうならないためにも、矯正治療を標榜している歯科医師は、必ず学会に入会し情報を共有しておかれるべきでしょう。このまま矯正治療が規制対象となってしまうようだと、矯正を標榜していても責任を持てない歯科医師は、矯正歯科の看板をすぐに外してしまうかもしれません。

　現にセラミック矯正やスピード矯正・ブライダル矯正などと呼ばれているものは、見た目重視の審美歯科治療であり、咬み合わせを考慮した矯正治療ではないからです。そうなったときに一番苦労をするのは患者さんだということも考えて、医院選びは慎重にされたほうがよいでしょう。

私は前述の質問に以下のように回答し、質問した方は納得されました。

「日本臨床矯正歯科医会のホームページから、お近くの会員の医院に相談され治療を始められるとよいと思います。
　この会はトランスファー（転医）システムが、しっかり構築されているので、治療が途中の場合には転居先の会員の医院にしっかりと紹介し依頼するだけでなく、治療内容に応じて治療費の返金を行っているので患者さんの負担はほとんどないと思います。
　しかし、地方から都市部に転居される場合は、矯正治療費は若干追加になるかもしれません」

　この質問のような患者さんが先日、九州から当地へ転居され、治療の継続を希望されて来院されました。患者さんは医院を特定していない依頼状を持参されました。九州の一般歯科で担当されていた先生に電話で連絡し、今までの資料と今後の方針をどのように説明されているのかお教えいただきたいとお願いしたところ、必要な資料がありませんのでよろしくお願いしますとだけ言われました。今後治療を継続したとしても、満足できる治療は難しいと判断し、治療の継続はお断りしました。患者さんの矯正治療を引き受けるということは、誰にでも引き継いでもらえる治療をしなければならないということです。
　日本臨床矯正歯科医会は、転医・共済システムもしっか

り確立されています。医院に問題が生じた場合でも、患者さんにはご迷惑をかけないよう配慮されています。

医療機器メーカーのこと

　矯正治療にはブラッシング指導が最重要と考えており、三十数年前に開業した際、動機づけのため位相差顕微鏡の導入は不可欠と思っていました。学生の頃、顕微鏡を使用した際メーカー名は、Nikon か Olympus のどちらかではありませんでしたか？

　顕微鏡を導入しようと検討し、当時、千代田区神田駿河台の龍名館ビルにあった Olympus に出向きました。担当の方は大学や研究機関ではなく一開業医が買いに来たことに大変驚いていたようでした。

　30年間特にメンテナンスもせずに素晴らしい画像を患者さんにみていただいていましたが、数年前から少し調子が悪くなってきました。

　その頃、整美会矯正歯科の米山先生から、私が勤務していた頃の患者さんがお父さんになり、お子さんの治療の相談をされましたが、八王子にお住まいなので牛久保先生を紹介しておきました、とお電話を頂戴しました。

　治療を始められることになり、最初の T.B.I. の際にお父さんも同席されました。

　位相差顕微鏡を見て「うちの製品ですね」と言われ、調

子が悪いことをお話しすると、Olympus の顕微鏡部門に勤務されているとのことで、快く調整に持って行ってくれました。職場で「そんな古いのどこから持ってきたの？」と言われたそうですが、快調に作動するように調整していただきました。

　「娘がお世話になっている間はメンテナンスさせてもらいます」と言っていただけたことは大変ありがたく、購入するときは高価だと思っても、ここまでしっかり働いてくれたらかえって安かったとも思えます。

　矯正歯科治療も同じではないでしょうか。自費で高い治療費を払っていただくのだから、しっかりメンテナンスを続けていれば、良い咬み合わせを維持できるようにしなければならない。Olympus の製品と社員の方から学ばせていただきました。

　メカ好きな私はデンタルショーにも興味があり、出かけて行っては新製品をチェックしていました。

　十数年前のデンタルショーの開催前に、アクシオン・ジャパンというレントゲン・メーカーが PanoACT-1000 という、パノラマとデンタルのレントゲンが一照射で撮影できる機種を発売します、というダイレクトメールが送られてきました。興味を持ってブースに行ってみました。小さなブースでレントゲン本体を設置し、熱心に機器の優秀性を説明されていたことが印象に残っています。あとでわかったのですが、熱心に説明されていたのは櫻井栄男社長でした。

当院は矯正歯科専門のため、セファロ・レントゲン（頭部X線規格写真）が不可欠です。高画質で低被曝は、患者さんにとってよいことです。ぜひ導入したいので、セファロ付を作ってくれませんかとお願いしてみました。

　展示されていた機種の特長は、パノラマとデンタルが同時に撮影できるので、被曝量は抑えられ、さらに両方の保険点数も請求できることが利点でした。

　しかし、矯正専門医はレントゲンの保険請求はしませんので利点も享受できません。セファロ付など作っても市場が小さいので作りません、と言われてしまえばそれまでだと思っていましたが、お願いだけは毎年デンタルショーでしていました。

　2010年の暮れ、当地歯科医師会の勉強会に櫻井社長がPanoACTの新型の説明に見えました。そのとき「牛久保先生、お待たせしました。来春には発売できそうです」と力強く言われました。当院も導入すべく診療室の改装計画を練り始めました。

　2011年4月にPanoACT-ART Plus Cが発売されました。しかし前月の3・11の不幸な震災の影響で計画停電等も行われ、医院の改装計画を見直し、一層の省電力化のため、照明をLED化するなどで改装工事は12月までずれ込んでしまいました。

　導入にあたり営業の方から、櫻井社長が「牛久保先生に使っていただくので、頑張って開発しよう」と陣頭指揮を執られていたと伺い、大変ありがたいと思いました。

新機種は開発に時間をかけて一層の低被曝化が図られていました。震災で患者さんの被曝に対する意識が高まっていたので、これからはPanoACTを導入する医院が増えてくれればよいと思っています。

　また、PanoACTは発売された製品が完成ではなく、現代のデジタル製品らしくソフトウエアのバージョンアップにより、画質が進化し続けているのはうれしい限りです。

　最近海外ではパノラマのように被曝線量の少ないものにも、成長期の小児の眼球や甲状腺への影響を考慮し、フィルターを付けるよう指導していると聞いた事があります。

これは当時の PanoACT の院内掲示用のポスターです。ここで気になるのは、他社で発売され導入する歯科医院が増えていた CT の被曝線量の多さです。1回で年間被曝量相当が照射されてしまいます。歯科用の CT の場合には術前と確認のために術後にも撮影をしますので、頭部への被曝ですからもっと慎重に扱わなければなりませんし、顎骨が成長期にある小児に対しての撮影には、より配慮する必要があるのではないでしょうか。

第 4 章

矯正治療や歯科医院についての
疑問に答えます

インターネットサイト『デンタルン』Q&A コーナーから

子どもの歯の矯正はいつから

子どもの歯を矯正する場合、いつくらいからできるのでしょうか。

大人の歯にすべて生え変わったらいつでも大丈夫なのでしょうか。

まだ大人の歯になっていないのですが、私が歯並びがよくなくいつも自分に自信が持てないでいました。

そのため、子どもがもし歯並びがよくなかったら矯正してあげたいと考えています。

歯並びがよいと人と話していて安心できるだろうし、自信も持てそうです。

いつくらいから矯正はできます、というような目安みたいなものがあれば教えていただきたいです。

 当院では4歳くらいから可能です

当院で矯正治療を始めた最低年齢は4歳です。この患者さんは3歳児健診で私が交叉咬合を指摘し、4歳から5歳までの1年間の治療期間で将来の健全な永久歯咬合を獲得することができた症例です。

私の娘も同年齢で同じような装置で治療を行いました。成長を考慮するとなるべく早い時期に矯正をしてあげたらよかったのにと思うケースが多々ありますが、あまり小さいお子さんを診られない先生も多いようです。

返礼 ご回答ありがとうございます。4歳からでも可能なのですね。矯正する内容にもよる、というところなのでしょうか。思春期に矯正器具をつけているとかわいそうな気もしますが、できるだけ早めにスタートしたいと思います。成長を見守りながら考えていきたいと思います。ありがとうございました。

補足： 昔は乳歯にむし歯が多く、みそっ歯のお子さんも多かったようです。昨今は少子化のため一人のお子さんにかけてあげられる時間も増え、さらに一般歯科や行政の努力によってむし歯の罹患率も減ってきています。このお母さまのように一歩進んで矯正治療まで意識が高まってくればさらによいのですが。

 歯並びは子どもに遺伝しますか

私は歯の並び方があまりよくありません。

並びの悪さがかなりのコンプレックスになっていて、写真を撮られるのも苦手です。

　今5歳の子どもがいるのですが、親の歯並びの悪さは子どもにも影響（遺伝）するのでしょうか。

　もし悪いようであれば大人になる前になるべく早めに矯正をさせたいと考えています。

　悪くて矯正しないでそのままにしておくと、子どもが大きくなって就職活動するときにも影響しそうで今から心配になっています。

お子さんと一緒に矯正治療をしてみませんか

　当院では矯正の診断を行うときに歯並びを気にされているお母さまにも矯正治療をおすすめすることがあります。そんなお母さま方は費用の点を考慮され、お子さまの治療が終わってから治療を開始する方もいらっしゃいます。

　あなたの場合まだお子さんの治療開始年齢前だと思いますので、先に矯正治療を始めてみませんか？そうすればお子さんの矯正開始時期についての説明も受けやすいですよ。まずご自分のコンプレックスを解消されてはいかがですか？

　しっかりした咬み合わせが得られれば、将来的に健康で歯に対する治療費などの負担が軽減されると考えられてはいかがでしょうか？

返礼 ご回答ありがとうございます。確かに自分で経験していれば子どもにもアドバイスなどできそうでいいですね。矯正は費用の高さがネックになって今までできませんでした。金銭的に余裕があれば真っ先にするのですが、子どものためにはできても自分のためとなるとなかなか行動できないものですね (-_-;)

　これからは自分の矯正も考えてみたいと思います。ありがとうございました。

Q 40代の歯列矯正について

　歯の矯正は、早い年代からするとよいと聞いておりますが、40代になり時間・金銭の余裕ができたことで歯科矯正したいと思うようになりました。

　年齢に関係なく、矯正を行うことは可能であると聞いたことはありますが、顎や骨の成長が止まっているであろう年代ですので、かなりの期間がかかることが予想できます。今から抜歯をするなどして矯正することは可能でしょうか。

　一般的な矯正と抜歯をした際の矯正とのメリット・デメリットなど教えていただきたいと思います。

　また、どのような医師を選んだらよいかも教えていただけるとありがたいです。

矯正専門医にご相談ください

　お口の中を拝見していませんので、詳しい治療方法はお話しできませんが、あなたの場合には年齢を考慮すると、なるべくご自分の歯を残す方向でよい咬み合わせにするような矯正治療法を選びたいと思います。

　矯正専門医で時間をかけた治療をすることで、長く自分の歯で噛めるような咬み合わせを手に入れられるのではと思います。

　基本的に矯正相談は無料のところが多いので、何軒かお話を伺ってみて、あなたの咬み合わせを大事にしていただける治療方針を提示された医院で治療をお受けになることをおすすめします。

矯正期間について

 歯列矯正にかかる時間と費用を教えてほしい

　私は子どもの頃から歯並びが悪くて困っています。何度か歯列矯正をして改善しようと努力しているのですが、なかなかきれいな歯並びにはなってくれません。30代になってまた改めてきちんとした歯列矯正をしようと考えている

のですが、どのくらいの期間がかかるのか？そして、どのくらいの費用がかかるのか？を大まかでよいので教えていただけないでしょうか？

 お住まいの地域によって違うようです

　成人の場合、大体2〜3年くらいの治療期間でしょうか。都市部では100万円を目安に、地方では少し安いと思います。

　治療費は、トータルで明示される医院と毎回の調整料を別に請求される医院がありますので、よくお調べください。

　受診されるのは、認定医または専門医で個人で開業されている先生がおすすめです。

　理由としては、患者さんが成人の場合には常勤の先生がいらっしゃらないとアポイントの変更が難しかったり、装置が外れた時に直ちに対応することが困難だったりすることもあるからです。

　安いからといって安易に選ばないことが賢明ですし、先生の方針も違いますので、決めるまでに何軒かでお話をお聞きになることも大事ではないでしょうか。

 矯正期間はどれくらいかかりますか？

歯並びを矯正した場合、トータルでどれくらいの期間がかかるものでしょうか。

矯正器具はだいたい1年くらいつけると以前聞いたことがあります。このつける期間は歯並びを矯正する程度にかかわらず同じくらいかかるものでしょうか。

矯正器具を外したらそれで終わり、と今まで思っていたのですが、何年もかかると最近知りました。

器具を外した後は何の治療が必要になるのでしょうか。

全部でどれくらいの期間がかかりますか？

 矯正治療期間はケースにより異なります

当院では成長を考慮し、小学校1年生から大学1年生までの約10年間矯正装置をつけていた患者さんがいらっしゃいますが、この方は最終的にむし歯1本作ることなくきれいな咬み合わせになりました。

また9歳から治療を始められた女性の患者さんですが、現在34歳になられましたが年2回保定装置（安定させるための装置）等のチェックとP.M.T.C.（歯石除去）に通われています。

 **矯正の期間**

子どもが矯正をしているのですが、毎週のように矯正の調節に行っています。

　ブラッシングだけのときもあって、正直もう少し回数を少なくしてもらいたいなと思うのが本音です。仕事をしているために歯医者に行くのも夕方になりますし、時間的にもバタバタなんです。矯正の調節はそんなに頻繁に行かないといけないものなのでしょうか。

　毎月のお金もかかってきますし、途中で矯正を外して（やめる）しまうことも可能なのでしょうか。

　ある程度歯の具合がよくなれば中止してもいいなとも思っています。

　矯正の知識がまったくないのでアドバイスよろしくお願いします。

矯正専門医は
毎週のように調整することはありません

　矯正治療は患者さんの成長を考慮し、長期間の治療を行ったほうがよい結果が出せるようです。

　そのため当院では患者さんの負担を考え1ヵ月に1度の通院をお願いしていますが、多くの専門医も同じだと思います。

　お子さんの場合、治療を中断することは大変危険ですので転医を考えても治療は継続されたほうがよいと思います。

　矯正の知識に関して担当医には説明する義務がありま

すので積極的にお尋ねください。見た目がある程度よくなったら中断してもよいのでは、と考えがちですが矯正治療を中断することは大変危険です。

矯正治療が完了すると保定装置という、正しい位置に動かした歯を安定させる装置を使用してもらいます。これを行わないと、あっという間に後戻りして矯正治療費を無駄にすることになり、再治療にはさらに費用がかかってしまうことになるかもしれません。

歯の大きさと歯並びの関係

 歯の大きさは歯並びに関係がありますか？

人の歯の大きさって気にしたことがなかったのですが、私が歯並びが悪くて悩んでいると友だちに話したところ、友だちは歯科矯正をしていたのですが「歯が大きいから歯科矯正したら綺麗に見えそうなのにね」といわれて、確かに自分の歯が１本ずつが他の人よりも大きいかもしれないと思いました。

顎の大きさにおさまるのには歯１本１本が大きいから押されて歯並びが悪くなってしまったのかなとも思うのですが、歯が小さい人でも歯並びが悪い人はいますか？

私の友人は結構な人数が歯科矯正していましたが、矯正していた友人は考えてみればみんな歯が大きかったなと思い出します。

歯の大きさだけではありません

　以前、東大の文化人類学の先生から聞いた話ですが、現代人は栄養状態がよくなったために、歯1本1本の大きさは大きくなり、さらに食生活の変化から顎は細く狭くなってきたようで、このような状態を「歯牙歯槽基底の不調和」と呼びますが、これで叢生（でこぼこ）となりやすいので矯正治療が必要な人が増えてきたのではないか？とのことでした。

返礼　ご回答ありがとうございます。歯が昔の子どもに比べて大きいのは栄養状態が良くなったためなんですね！栄養状態が歯にまで関係しているとは思いませんでした。私は大きく生まれて歯も他の同級生と比べると大きめだったので栄養状態がすごかったのかもしれないと思いました（笑）

　私の子どもも乳歯が生え始めましたが、少し前歯が大きめなので歯並びが悪くならないとよいなと、こちらのご回答を見て感じました。

歯並びと体調

Q 歯並びが悪いと
体調悪化をもたらすのは本当ですか?

　歯並びが悪いと偏頭痛になったり、肩こりが出たりすると子どもの頃から言われてきました。

　旦那の母親も歯並びが悪く、肩こりなどが気になりだしたので30〜40代になってから歯科矯正をしたと聞きました。

　歯並びが悪いと咬み合わせが悪くて食べにくかったり、いろいろな不具合が出てくることは確かだと思うのですが、体調悪化は歯並びが悪い人すべてに現れる現象なのでしょうか?

　私は30代になりましたが、昔あった偏頭痛も最近は起こらなくなり、肩こりも何かに集中し過ぎたとき以外にはそれほど起こりません。

　今のところ体調の悪化は感じられないのですが、これから歯並びが悪いことで起こるかもしれないと思うと不安もあるのですが、歯並びが悪い人は体調が悪くなるのは全員にあてはまることですか?

A 歯並びよりも咬み合わせ

歯並びが悪くても体調が悪くならない方もいらっしゃるのは事実です。歯並びがよくても片方の歯がむし歯になったり、それを長く放置し片側で噛んでいると、体に不調を起こすこともあります。つまり咬み合わせの悪化により発症するのだと思います。

　その場合は矯正歯科を受診されても問題は解決しないと思いますので、テンプレート療法を行っている医院を受診されたほうがよいと思います。

 歯の咬み合わせに関して

　歯の咬み合わせが悪いと体に悪影響が出るという話を聞いたことがあるのですが、具体的にどんな症状が出てくるのでしょうか？私は若干下の歯が右側方向へズレているのですが、どの程度のズレで悪影響が出てくるのかも教えていただけたらと思っています。

　あとは咬み合わせ矯正というのは普通の歯医者さんでできて、しかも保険が適用されるのかどうかということもわからないのでそれも教えていただけないでしょうか。

 テンプレート療法を検索してみてください

　私が所属している NPO 日本テンプレート研究会のホー

ムページをお調べいただくと、咬み合わせが体にどのような影響を与えていて、さらにどのように治療するのかがわかりやすく解説されています。

　しかしこの治療は健康保険が適用されず、治療できる先生もあまり多くありませんので、お近くに研究会員の診療所がありましたら相談されてはいかがでしょうか？

歯並びのここが心配

 Q 先天欠損歯について

　小学2年生の娘を歯科医の健診に連れて行きました。

　癒合している歯があるので気になっていたのですが、レントゲンを撮ってみると先天欠損歯があると言われました。

　生えてこない歯は1本のようで他はみんな永久歯が確認されました。

　私自身は歯が足りないなんて、とびっくりしていますが、最近は歯が足りない子が多いのですよ、と歯医者さんに言われました。

　実際に歯が足りない子どもは増えているのでしょうか？

　その場合にどのような処置をするのでしょうか？

インプラントや矯正になるのでしょうか？それともブリッジなどを使用するのでしょうか？

 先天性欠損歯は増えています

　日本人は食生活の変化もあり、顎も小さくなってきています。

　それに伴い、昔は当たり前のように出ていた親知らずも出てこない方が増えてきました。

　お母さまもそうではありませんか？

　このまま人間は進化していくと、歯は減少傾向にあるようです。

　お子さまは他の人より少し進化しているとおおらかに考えてください。欠損の場所によっては、後ろから永久歯が生えてくることにより、自然に目立たなくなったり、咬み合わせにもあまり影響を与えないこともあります。

　気になるようでしたら矯正専門医に相談されるのもよいと思います。

 ゆごう歯について

　子どもの歯がゆごう歯といわれました。確かに２本が１本になっています。見た目はそんなに気になりませんし、

今のところむし歯にもならず、問題なく食生活も送ることができています。

　先日、歯医者に行って指摘をされたのは、永久歯が足りないということでした。2本なければならないはずのところが1本しかないそうです。そのため生え変わりに不都合が出るだろうということでした。自然には抜けないと言われたのです。

　そこで、いずれ抜歯することになると言われたのですが、どのように抜くのでしょうか。

　親の私も抜歯の仕方を知らないので、どのように歯を抜くのか教えていただきたいです。

　また、それは2本つながったゆごう歯でも同様でしょうか?

　子どもも抜くと聞いてかなり怖がっていますが、歯を抜くなんて想像もつきません。麻酔はちゃんとするのでしょうか?

 あまり心配はいらないと思います

　私は矯正専門医なので、一般の先生方よりゆごう歯を目にする機会は多いと思います。

　今まで問題だったケースは、抜けなかったことではなく、むしろ2本つながっているために、抜けてから次の永久歯が出てくるまで時間がかかることが多く、保護者の方が心配をされていたということです。

普通、乳歯は次に出てくる永久歯が正しい位置にいればやがて歯根が吸収し、痛みをともなわずに抜けてしまうことが多いので、お子さまにはあまり心配しないようにと言ってあげてください。

 八重歯と犬歯は同じ？

八重歯と犬歯についてお尋ねします。

（八重歯と犬歯は同じものであっているでしょうか？

同じという人と違うという人がいて混乱しています）

知り合いで八重歯が大きく尖っていることを悩んでいる人がいます。少し張り出して前にあるように見えるところもいやなようです。

そこで質問ですが、八重歯は抜いたり削ったりしても大丈夫なものなのでしょうか？

あとこれは前から思っていたことですが、八重歯はなんのためにあるのでしょうか？

食べ物を噛み砕くためだと思いますが、それほど使っていない気がするのですが、実際はないと困る歯でしょうか？

 歯は同じものです

犬歯が歯列に入りきらないで飛び出している状態を八重

歯といいます。

　八重歯になる原因としては、上顎の犬歯は永久歯の中でも出てくるのが12歳頃と遅く、現代人は歯列が狭めの方が増え、隙間の足りないところに無理に出ようとするために起こっているのではないでしょうか。

　正常な位置にある犬歯は、顎が横に動くためのガイドをするという重要な役目がありますし、歯根も長く丈夫なことから高齢化してからも残りやすいことが知られています。抜いたり削ったりせずに矯正治療を考えてみませんか？

子どもの癖（習慣）が心配

 口を開けっ放しにしていることの弊害はありますか

　子どもが時々口を開けたまま遊んでいたりテレビを見ていることがあります。

　見つけるとそのたびに注意して口を閉じるようにさせているのですが、気づかないうちにしてしまうようです。

　口を開けて、口呼吸にすることで何か口の中や歯への影響はありますか？何かありましたら、「○○だからやめようね」などと小さな子どもにも言って聞かせやすいのに、と思います。

口を開けっ放しにしておくことの弊害が何かありましたら教えてもらいたいです。

口呼吸が歯列不正の誘因となることも

　私は矯正専門医ですから、初診の問診時に口呼吸などがあるかどうか伺うようにしています。

　それは口呼吸によって歯列不正が引き起こされることがあるからです。口呼吸をすることで、上顎前突や前歯部の開咬、さらに上顎歯列弓の狭窄による叢生が起こることが懸念されますし、歯肉の乾燥による歯肉炎も問題となってきそうです。

　しかし、なぜ口呼吸をしなければならないのか、原因を探さなければ治療はできません。

　ほとんどの場合、アレルギー性鼻炎や扁桃腺肥大で正常な鼻呼吸ができないことが原因となっているようです。

　お子さんに鼻炎傾向はありませんか？

　もしあるようなら無理にお口を閉じさせておくのはかわいそうです。まずそちらを治療されることをおすすめします。あまり問題がなく、歯列不正が気になるようでしたら矯正専門医を受診してください。

3歳の長男の咬み合わせについて教えてください

　3歳の長男の歯について質問です。

　以前、咬み合わせが悪いと指摘を受けたことがあるのですが、見た目にはあまりわからず、確かに口を開いて注意深く見ると、上下の咬み合わせが少しずれているような気がします。

　上顎に食べもの（柔らかいものなど）をくっつけて口の中でペロペロする癖があって、「モグモグしようね」と、その都度言うのですがなかなか直りません。

　きちんとよく噛まないと、咬み合わせがさらに悪くなる、ということもあるのでしょうか？

 当院のホームページをご覧ください

　お子さんと同じように3歳児健診で私が不正咬合と診断し、4歳時から治療した患者さんのケースをご覧になってください。

　もしお口の中の状態が同じようでしたら、早期の矯正治療が有効だと思いますので、矯正専門医にお問い合わせください。

　私は1歳半・3歳児健診のときに咬合に問題がある方には、なるべくその場で説明するようにしていますし、他の先生から指摘を受けてお困りの方には来院していただいて、お口の中を拝見してから無料で説明を行っています。どうぞお気軽にご相談ください。

返礼 ホームページ拝見しました。早めの相談が大切なのだと思いました。残念なことにそちらには通える距離ではないので近所の矯正専門医に相談してみようと思います。

　ありがとうございました！

 **子どもの指しゃぶりの歯への影響は
本当にあるのでしょうか**

　よく赤ちゃんが指しゃぶりをするのは歯並びへの影響があるからよくない、早めにやめさせるほうがよいと聞きます。

　確かに歯の生えてきた赤ちゃんが指しゃぶりをすると出っ歯になるのかな、とは思いますが、まだ歯が生えていない赤ちゃんにも影響があるのでしょうか。

　まだ生えていなくても、指しゃぶりをしていると歯が出て生えてくるなどといったことは起こりますか？

　3歳、4歳くらいまでは大丈夫と聞いたこともあり、どれが本当かよくわかりませんので質問させていただきました。

 まだ大丈夫ですよ

　まだ歯の生えてきていない赤ちゃんの指しゃぶりは、そんなに心配することはありませんし、これから乳歯が出て

くるとむず痒さで、より気にして指をしゃぶるようになる
かもしれません。しかし、乳歯の前歯が出てから指にタコ
を作るような指しゃぶりを続けていると、歯列不正の誘因
となることもありますので注意が必要です。気になるよう
でしたら1歳6ヵ月・3歳児健診などでお聞きになってみ
てはいかがでしょうか。

 指しゃぶりの影響

　家の娘がまだ小さいときのことですが、指しゃぶりを
する癖がありました。

　指しゃぶりをすると歯並びが悪くなるというのは本当
なのでしょうか？　第一子ということもあり、新米お母
さんの私はとても心配したものです。

　結局、簡単には指しゃぶりは直りませんでしたが、今
改めて娘の歯を見る限り、それほど歯並びが悪くなった
とは思えません。

　当時はかなり気になって心配でしたが、娘の場合、指
しゃぶりの影響が出ずに済んで幸運だったのでしょうか。

　普通はやはり、歯並びに影響が出るものなのですか？

 指しゃぶりの仕方が問題です

私の娘も幼少時に指しゃぶりをしていましたので、矯正医の父親としては心配していました。

　しかし、指にタコができるほどの指しゃぶりではなかったため、歯列不正にはなりませんでしたので安堵しました。

　では、どのような指しゃぶりが問題かというと、親指で上顎を前に引っ張るようにして指をしゃぶるようなケースでは、上顎前突（出っ歯）や開咬（前歯が咬み合わない）の誘因となることが多く注意が必要です。

　この場合、歯は並んでいるように見えても前歯ではものを噛み切ることができなくなります。

　お孫さんができたとき、指しゃぶりが気になるようでしたら矯正医に相談されるとよいと思います。

| 返礼 | ご回答ありがとうございます。歯並びに悪いだろうとは思いながらも、精神衛生上あまり禁止するのもかわいそうで、とにかく悩んだものです。そんな娘も二十歳を過ぎすっかり大人です。幸い、歯並びに影響が出たとも考えられず運がよかったのでしょう。ただ顎関節症などという珍しい病気になりましたが……。

　やはり親が気をつけて観察して、対処してやらないといけませんね。一生の問題ですから。

補足：　残念ですが、おそらく顎関節症の誘因は咬み合わせが影響していると思います。

歯並びが悪くならないようにするには

 歯並びを悪くさせないようにするには？

　私は子どもの頃、何年か歯科矯正に反対咬合＆歯並びが悪くて通院していました。

　おぼろげにしか覚えていませんが、遊ぶ時間は削られるし、限られた歯科医院でしか矯正の治療を行っていなかったので乗り物を乗り継いで痛い思いをして通院するのが嫌だった記憶しかありません。

　現在２歳半の子どもがいるのですが、自分の子どもには同じ思いをさせたくありません。

　もちろん反対咬合だったり、歯並びが悪ければ通わせるつもりではいますが。

　そのために家庭の中で反対咬合や歯並びについて事前に悪くならないように幼児のうちにできることはあるのでしょうか？

　たとえば両方の歯を使って交互に噛むなどの咬み合わせや、○○を食べたらよいなど。

　もし家庭内で何か歯並びが悪くなるのを防ぐ方法があるのならば教えていただきたいと思います。

**残念ですが反対咬合は
遺伝的要素が強いようです**

　私は矯正専門開業医ですが大学卒業後は、新宿の矯正科
に勤務していました。

　今から30年以上前ですが、そのときの患者さんで今も
年賀状を送ってこられる方がいます。当院では親となられ
た患者さんたちが、お子さまの矯正相談に気軽に来ていた
だけるように努力していますし、先日も20年ぶりに親知
らずの影響で奥歯の咬み合わせが悪くなり、その部分を再
度矯正された患者さんもいらっしゃいました。

　お子さんも反対咬合になる可能性は高いと思いますし、
咬み合わせに影響する悪習癖があった場合はやめさせるく
らいの予防法しかありません。

　ぜひ治療でよい思い出を作れるような矯正歯科を探して
ください。

| 返礼 | 遺伝というのは自分を責めましたがよい思い出を |

作ってあげようと考えるきっかけになりました。回答あり
がとうございました。

 歯並びと、顎の大きさ

　よく小さいときに硬いものを食べて、顎をしっかりさせ

ないと大きくなったときに歯並びが悪くなるよって言われていました。

　あまり記憶にないけど小さいとき硬いものを食べていたような気がします。煮干しとかするめとか、煎餅を顎が痛くなるほどしっかり噛んで食べていたような気がします。

　今はすごくきれいな歯並びで歯医者さんにもほめられるくらいになっていますが、最近では自分の子どもの歯並びが気になっています。7歳ですが今から硬いものを食べさせて、顎を使って咀嚼すれば歯並びは改善するのでしょうか？

　前歯のわきの歯が、まだ内側に残ったままなので心配です。よろしくお願いします。

 現代人の顎は小さくなってきています

　以前、歯科医師会のむし歯予防デーのイベントで戦国時代の古代食を再現したことがありました。

　試しに食べてみた先生が、咀嚼回数の多さにびっくりされていました。

　戦国時代はほとんど親知らず（第三大臼歯）まで、きっちりと噛んでいたようです。

　現代人は食べるものが柔らかくなってきたために、それほど噛まなくても充分咀嚼できるようになってきたので、親知らずが萌出できないくらいに、顎が小さくなってきています。

　何代にもわたって作られてきた現代日本人の顎骨は、残

念ですがあなたのお子さんがしっかり咀嚼するようにしても、変化するようなものではありません。

　しかし、しっかりと咀嚼させるようにすることは咬筋の訓練や脳を発達させるためにもよいことであると言われています。

　まだ乳歯が残っているのに、次の永久歯が出てきているようでしたら、歯科医院で乳歯の抜歯をお願いしてください。

 子どもの矯正について

　現在３歳の子どもがいるのですが、将来、歯並びがいい子にしてあげたいと思っております。私の場合は子どもの頃、歯医者さんが手で歯を押していた記憶があり、おかげさまで歯並びはとてもいいのですが、現在でも子どもの頃からそのように矯正なしで歯並びをよくしてくれる歯医者さんはあるのでしょうか？

 矯正専門医にご相談ください

　あなたの場合、バランスよく顎骨などが成長されたようで歯並びが悪くならなかったのではないでしょうか？

　手で歯を押すことは、長時間持続的な矯正力が必要な矯正治療には気休めにしかなりません。昔は矯正専門医も少

なかったので、そのようなことをされたのでしょう。

　現在では治療に対しての責任が生じることから、そんなことをする歯科医師はいないと思います。

　歯並びが気になってきたら、ぜひ乳幼児期から診てもらえる矯正の専門医にご相談ください。当院では乳歯列期の乳幼児の対象者に矯正治療前矯正も行っていますのでホームページをご参照ください。

矯正治療の方法

 矯正は進化していますか？

　私が学生の頃の歯の矯正と言いますと、銀色の装具が一般的でした。

　ですが少し前には色の目立たないような装具も見るようになりました。見た目をよくするためにいろいろと変化しているのだなあ、と思ったのですが他にも何か進化していることがありますか？

　私は歯並びが悪く、自分に自信が持てないまま大人になったので、子どもの歯並びがよくないようであれば矯正してあげたいと思っています。

　永久歯が生え揃うのはまだ先ですが、年々進化している

ものなのでしょうか。

一番進化しているのは
ワイヤーではないでしょうか

あなたが言われるように、昔の矯正器具はメタルのブラケットにステンレスのワイヤーが主流でした。

プラスチックやセラミックのブラケットができたのは多様化です。

しかしワイヤーの進化は、チタン系のものや形状記憶合金などの細くしなやかで弾力があり、持続的に力のかかるものが開発されていますので、治療中の痛みはだいぶ軽減されてきています。

また、抜歯矯正が主流となったことから成人の治療期間は短縮傾向にあります。

しかし、新しい材料は出始めは高価なことが多く、残念ですが治療費が安くなることは期待できません。

参考までにお子さんに矯正治療が必要になった場合は、小さいときから成長を考慮してゆっくりと治療をしてくれる矯正歯科を探されると、将来よい咬み合わせが得られると思います。

矯正の痛みはどれくらいですか

私は歯並びがあまりよくありません。子どもにも遺伝

したら、ということをよく考えてしまいます。まだ永久歯は生えてきていないのですが、もし歯並びが悪いようでしたら矯正させてあげたいと今から思っています。ですが歯の矯正はかなりの痛みがあると聞きます。

　もし矯正をするとすれば小中学校くらいでするのがよいのか、もっと痛みに耐えられる高校〜成人（就職活動前）くらいがよいでしょうか。

　また、年齢によって出る痛みに違いはありますか？

　この痛みは小学校高学年くらいでも耐えられるくらいのものなのでしょうか。

A　痛みの感じ方には個人差があります

　当院では4歳から矯正治療を始められたお子さんもいらっしゃいますし、私の娘も4歳から治療をしました。成長を考慮し、ゆっくり無理のない治療をすれば心配されるほどの痛みはないのではないでしょうか。

　お母さまがナーバスになれば、お子さんもナーバスになりがちです。

　まず、お母さまが気になる歯並びを矯正されてはどうでしょうか？

返礼　ご回答ありがとうございます。4歳から始めることができるのですか！乳歯の段階でもできるということなのですね。無理なくゆっくりと治療していけば痛みも心配す

るほどはないという心強いお言葉を聞けてホッとしました。金銭的に余裕ができたら私も矯正したいです (>_<)

矯正治療の費用

 歯科矯正について

　私は歯並びがとても悪くて悩んでいます。見た目もすごく悪くて、大きく口を開けるのが恥ずかしいくらいです。本当は矯正してもらいたいのですが、費用がかなりかかると聞いて踏み切ることができません。

　矯正するには 100 万円程度かかると聞いていますが、実際にはどれくらいなのでしょうか。

　あと、矯正するのに期間が数年かかるというのも聞いたことがあります。

　そんなに長期間器具をはめていなくてはいけないのですか？食べるときは気持ち悪くないのでしょうか。

 費用は分割が可能です

　ネットを検索していただき、私が書いている『接歯琢磨』の成人の矯正の項目をご覧ください。どちらも治療期間

は5年程度で固定性装置の装着期間としては3年くらい、治療費は総額で約100万円を分割でお支払いただいています。

この頃は長期で分割ができるデンタル・ローンも増えてきましたので、以前に比べて毎月の負担が楽になったようです。

矯正装置は私もつけていたことがありますが、意外に慣れるものです。

むしろ、矯正治療中のブラッシングが大変になりますので、しっかりとブラッシング指導をしていただける矯正専門医を受診されるとよいと思います。

矯正治療期間が1年半から2年くらいと言っている医院は、矯正治療後の固定性の保定装置の装着期間を省いていることが多いので注意が必要です。実際は保定装置を撤去するまでトータルで5年くらい診られている医院が多いようです。

 歯列の矯正について

13歳の孫の歯列矯正を希望しております。孫の両親とも話し合っているのですが、費用なども含めてご相談いたします。

通院の利便性も考えてできるだけ近くでと考えており、いくつか矯正歯科が可能である医院をリストアップして

おります。

　初回の相談料にさほどの費用はかかりませんが（無料もある）、精密検査については数万円程度が必要になります。

　どの医院で治療を受けるかはそれぞれの医院について詳しく把握してから始めたいと思っています。

　例えば、レントゲンをはじめに相談した医院で撮影し、その後他の医院に相談に行く場合、レントゲン写真の貸出などをお願いしてもよいものなのでしょうか？

　ご迷惑にならなければ費用を節約するためにそのような手段を取りたいと思います。

　その後長期間にわたっての治療になると思いますが、総費用はどれくらいなのでしょうか？

 レントゲンは保存義務があります

　今のレントゲンはデジタルのものが多いのでコピーをもらうことはできるかもしれませんが、貸出を受けたものは返さなくてはいけません。

　そこの医院で受診しないからと返しに行けますか？
矯正治療をすることにした医院では初診の資料としてレントゲンを再度撮影し、保存しておく義務が生じます。

　従って、精密検査を受ける前になるべく多くで受診し、納得できたところで精密検査をお受けください。

　その結果、治療期間や費用の詳細をお聞きになれると思います。

口腔清掃について

 子どもの歯磨き・仕上げ磨きはいつぐらいまで？

子どもの仕上げ磨きはいつ頃までするのがよいでしょうか。

小学校に上がってもしてあげたほうがよい、と聞いたのですが、いつぐらいから子ども一人の歯磨きでもよいのかわかりません。

むし歯にはさせたくないので、できる限り親が仕上げ磨きをしてあげたいと思うのですが、いつぐらいまでがよいのか教えてもらえると助かります。

 続けられる限り頑張ってください

校医をしていた小学校の教頭先生に「家の娘は中学生なのにまだ仕上げ磨きをしてくれと言ってくるのですが大丈夫ですか？」と質問されたことがありました。

でもお父さんとしてはちょっと嬉しそうでしたので、私は「親子のコミュニケーションがとれていてよいことですので、ぜひ続けてください」と答えました。

返礼 ご回答ありがとうございます。仕上げ磨きはむし

歯予防の他にも子どもとのスキンシップやコミュニケーション、という風にも考えられますね (*^_^*)

　むし歯予防にもなり、子どもとのスキンシップもとれて一石二鳥ですね。

　できるだけしてあげたいなぁと思いました。ありがとうございました。

 子ども用の歯ブラシの違い

　新しい歯ブラシを買いに行ってから、子ども用の歯ブラシを買ってしまったことに気づきました。帰ってきてから気づいたために戻すのも面倒で、もったいないのでそのまま使ってみたところ意外にも使いやすくて磨きやすかったです。

　結局、子ども用の歯ブラシを使い続けています。

　子ども用と大人用の歯ブラシっていったいどんなところが違うのでしょうか?

　子ども用の歯ブラシは子どもに合うようにサイズが小さめになっているだけで、性能といったものは変わらないものなのかなと思いました。

　このまま子ども用の歯ブラシを使い続けていたら、歯がきれいに磨けないなどあるのか気になりました。

A よい間違いをされましたね

　以前の子ども用歯ブラシは、全体的に小ぶりにデザインされていたので、大人が使うのにはハンドルが小さくて持ちにくいものでした。

　しかし、仕上げ磨きという考え方が定着したので、大人用とほぼ同じ大きさのハンドルで、柔らかい小さめのヘッドというデザインに変化してきていますので、狙ったところに的確にあてたり、奥の歯を磨くにはあなたが感じられた通りだと思います。

　当院でもブラッシング指導のときは、同じような歯ブラシを使用することをおすすめしていますので、心配される必要はありません。

Q 安物の歯ブラシって何が悪いんですか

　歯ブラシは結構安いものも販売されているのですが、実際のところそれなりに値段のするものよりも悪い部分が多いとされています。

　歯医者の方に聞きたいのですが、安物というのはどのような部分で問題を持っているのか教えていただけないでしょうか？わからないと選べないので困っています。

　安いものだから粗悪な素材で作られているということも

なさそうですし、意外と歯垢を取り除く効果はありそうです。でもあまりよくないとされているので、どうしてか気になっています。

安物でも悪くはありません

昔売られていたような、何本いくらというものやホテルでサービス品としてついていたものの中には、歯ブラシのヘッド部分が大きく、植毛も密でないものもあったようですが、この頃はあまり見かけません。

では高いものは何が違うのでしょう。まずわかりやすいのは子ども用歯ブラシについているキャラクターの使用料です。

次に、大人用は植えられているナイロン部分の毛先の処理方法などに違いがあり（テーパー状になっていたり、丸く仕上げてあったりします）、さらにナイロンも高級品が使われていて、へたりにくいようです。

安物でもヘッドが小さくしっかり植毛されているものなら、充分な清掃効果が得られると思います。

所詮、歯ブラシは消耗品ですから高価なものを大事に使うより、安価で使いやすいものを探されることをおすすめします。

返礼 安物でも問題ないのですね。それでしたらせめて悪くなったらすぐに交換して、きれいな歯ブラシにしていこうと思います。

電動歯ブラシをどう思いますか？

　電動歯ブラシの使用についてお医者さまはどのように考えますか？

　以前、電動歯ブラシを使用したことがあります。

　自分で磨くとどうしてもクセがあって磨き残しも同じ場所に集中しそうだったので、時々電動歯ブラシを使用していました。

　でも使わない時期があったせいか、毛のある部分の下のほうに黒いカビのようなものが……。入れ歯などと同じで、キチンとお手入れをするべきだったのか……。

　汚かったので捨ててしまいました。

　電動歯ブラシのCMなどを見ているとすごく磨けそうでいいなあと思います。

　お医者さまは、電動歯ブラシの使用についてはオススメでしょうか？それともやっぱり手で磨くほうがよいとお考えなのでしょうか？

 自分でも使っていますが

　一番よいと思われるのは、歯ブラシを使ってご自分の手できっちりと磨けるようにすることです。そのうえで、上下の奥歯を磨くときに、最近の小さなヘッドになった電動歯ブラシを使ってあげると、狭い部分でも細かく動かせ、よりきれいに磨くことができると思います。毛先をあてた

いところにあてるのは難しいですし、常に動いているのであたっているものと錯覚してしまいがちです。

短時間で磨けることをメリットとするのではなく、じっくり丁寧に磨きたいと考えられるのならよい選択だと思います。歯科医院専売の電動歯ブラシもありますので、使い方を教えていただいてから使われるとよいでしょう。

「手磨きに優るものはありません」（当院の衛生士談）

 おすすめの歯磨き粉を教えてください

以前から気になっていた歯磨き粉について質問させてください。

小さい頃からずっとドラッグストアなどに売っている300円くらいの歯磨き粉を使っています。

この前友人の家に行ったときに、見たこともないような歯磨き粉を使っていました（友人曰くドラッグストアでも買えるらしい）。価格としては1200円くらいだと言っていました。今まで歯磨き粉に対してあまり気にしていなかったのですが、やはり高い歯磨き粉のほうがいいのでしょうか？

ちなみに価格が高いとどのような点がよいのか知りたいです。

歯医者さんでご相談ください

　あなたのお口の中の状態も診ずに、歯磨き粉をおすすめするようなことはできません。

　例えば、あなたが歯磨きに熱心でブラッシング圧も強く、研磨剤の多い歯磨き粉を長年使用されているような場合には、知覚過敏になっていることも懸念されますので、シュミテクトのような知覚過敏用の歯磨き粉がよいのでは、とおすすめするかもしれません。

　当院ではブラッシング指導の際に歯磨き粉をつけて指導することはありません。汚れを落とすのは歯磨き粉でなく、歯ブラシであるということを意識してブラッシングされたらよいと思います。

歯科健診（学校歯科医の立場から）

 ブラッシング指導

　私の長男は小学校１年生ですが、学校の12月のたよりに小学校４年生にブラッシング指導がありましたという記事が載っていました。こういうのってどうして４年生なのでしょうか？親からの意見だと、入ってすぐの１年生から

恒例行事のように毎年行ってもらうほうがいいかなって思いました。多分学校によって学年が違うのかなと思いましたが、全国の小学校のブラッシング指導って何年生が多いですか？

　正確なブラッシング指導があるなら、やっぱり低学年からしっかりと、未来の歯を残すためにも行ってほしいと思います。歯医者さんは歯科医院もあるし、直接指導ってわけにはいかないと思うので、学校の方が行っているのでしょうか？

 学校で行っているブラッシング指導について

　私の校医としての経験からお答えさせていただきます。私は学校からの依頼で、歯科健診・就学時健診の他に衛生士とともに年1回のブラッシング指導及び歯科講話を行っておりました。

　ブラッシング指導は乳歯と永久歯の交換期の3・4年生を対象とし、永久歯の重要性と咬み合わせについてのお話もさせていただきました。低学年では時間をかけての指導は困難であり、まだ生え変わっていない永久歯の重要性も理解してもらいにくいのも事実です。そこである程度理解し、永久歯も出始める3・4年生に指導するのが妥当と思われます。

　私はブラッシング指導などの結果を、実施した学年の保護者会に出かけ、説明するようにしていました。

このような指導は学校長・養護教諭が熱心で、さらに校医の積極的な協力が得られないと実施されない事業であるということをご理解ください。

補足：　この質問をされた方は、1年生からやってあげるべきですよね、という回答を得たかったのではと思いましたが、現状を正しく理解していただくためには正確にお答えしなくてはと思い、このような回答になりました。何人かの知人にも聞いてみましたが、ブラッシング指導を実施されている小学校は少ないようですし、現在私は小学校の校医を辞めており、校長先生も変わられていますのでまだ行われているかは不明です。

　学校の歯科健診で……

　子どもがまだ乳歯の頃、あまりひどくはないですが、結構な数のむし歯になりました。ちゃんと治療はしていました。

　ところが、学校の歯科健診で十何本もむし歯があると診断されてきました。これは大変と慌てて歯医者さんに行きました。

　確かにむし歯になっていました。ところが実際のむし

歯の本数は２、３本だったのです。

　大騒ぎしたものの結果的にはそれほどひどくなくて、ホッと胸をなでおろした次第です。それから乳歯が永久歯に生え変わるまで、毎年十何本のむし歯ありと診断され続けました。こちらも慣れっこになって、いつものことか、という感じでした。

　もちろんちゃんと歯医者さんには連れて行きました。

　どうしてこんなことになるのでしょうか？

 どちらもよい先生ですね

　学校医の先生は、細かく検査をされていて、C0というむし歯の疑いがあるものまでカウントされているようです。学校健診のようにあまり検査環境がよくないときには疑わしきは罰せずではなく、疑わしいものは積極的にチェックするという姿勢は評価できます。

　一方、治療に通われた歯医者さんは、お母さまがちゃんとお子さまの治療に来院されることがわかっているので、もうすぐ抜け変わる乳歯や疑わしい歯は経過観察として治療はされなかったのだと思います。

子どものむし歯

子どものむし歯について質問です。

現在２歳の子どもがいるのですが、前歯に黄色く色がついている箇所があります。

これはむし歯なのでしょうか？毎日歯磨きをしているのですが、付着した色が取れません。

歯医者さんに行くとどのような治療が必要でしょうか？またそこまで気にすることはないのでしょうか？

 よく気がつかれましたね

お子さんの歯は、形成不全なのか、着色か、初期むし歯かは実際に診てみないと判断できません。しかし、年齢を考えるとまだ歯科医院で処置するほどのことはないのではと思います。

気をつけていただきたいのは、着色を落とそうと熱心に歯磨きするあまりお子さんが歯磨きを嫌いになったり、歯茎を傷つけてしまわないかということです。

乳歯は永久歯が生え変わるまで持たせればよいと気楽に考えてください。

歯磨きはしっかりされているようですので、今のままの口腔管理で問題はないと思いますが、それでもまだ着色が気になるようでしたら、3歳児健診のときなどにご相談されるとよいと思います。

 抜けそうな歯を抜きたいのですが……

　我が子のことなのですが、乳歯が抜けそうで抜けないという状態が続いています。

　本人もずっと気にしており、しきりに触っています。抜けそうなら抜いてしまえばいいという話も聞きますが、無理に抜いてしまうと傷がつく恐れがあります。

　そこからばい菌が入って病気になってしまったりしないだろうかと心配してしまいます。

　以前、私が抜歯をした際、うがい薬を渡されたのですが、うがい薬を利用すれば抜いても構わないでしょうか。

 抜いてしまって構いませんが

　抜けそうで抜けない状態とは、おそらく次に出てくる永久歯が正しい位置にいれば、そんなに痛くはなく抜けると思いますが、永久歯の萌出位置が悪い場合には、乳歯の歯根が充分吸収していないことが多く抜きにくいこともあり

ますし、無理をすると歯根が折れて残ってしまうこともあります。

　これからクリスマスやお正月で、美味しいものをたくさん食べたいのに食べにくいのはかわいそうですから、早めに歯医者さんで抜いてもらうとよいでしょう。

　永久歯が出かかっていれば、そんなに痛くなく抜いてもらえると思いますので、お子さんにあまり心配させないようにしてください。

補足：　通常、乳歯は無理に抜かずに自然の生え変わりを待っていましょう、とお話ししますが、しきりに触っている、つまり常に口に手を入れているのは衛生的にも好ましいことではありませんし、この方の質問時期が12月だったということも考慮してこの回答とさせていただきました。

 期限付きでの治療

　奥歯がむし歯になっているようなのですが、2ヵ月ほどでの短期の治療を考えています。

　歯医者さんによっては一度治療に行くと何ヵ月も長期間の通院を求められることが多いのですが、仕事の都合であまり長く通院することができそうにありません。

少々通院頻度が多くなってもよいので、期間を区切っての治療を相談させていただくことは可能でしょうか？

　平日の夕方以降での通院を考えており、できれば治療のついでに歯石取りなどもできればと思っています。

 むし歯も病気です

　あなたは体の病気を何ヵ月で治してくださいとお願いしますか？

　むし歯も治療というように立派な病気です。

　あなたの歯の状態も見ないで2ヵ月でできるなどという医院で治療を受けるべきではありません。

　私もむし歯で5〜9月まで後輩の医院に通院していました。

　根管治療といって根の病気を治していましたので、1週間に一度の通院でも完治までの治療期間は長くかかりました。

　後輩ですから、徹底した治療をしてくれたようです。

　あなたのむし歯が軽いものなら、時間はかからないのではと思いますし、進行しているようなら治療に時間はかかります。

　期間で医院を選ぶことなく、徹底した治療をしてくれる医院を選ばれると再発などのリスクも軽減されると思いますので、まず歯科医院にご相談ください。

**奥歯が欠けたまま放置していても
大丈夫なのでしょうか**

　先日、おせんべいを食べていたら下の奥歯が欠けてしまいました。

　痛みがなかったので放置していましたが、歯の欠けた部分が少しずつ広がってきています。最近では歯の欠けたところに食べ物が詰まると、痛みが出るようになってきました。

　早く歯医者に行かなければとは思っていますが、私は歯医者が苦手なので行きたくありません。このままの状態で、歯が自然に抜けるまで放置しておくのは危険でしょうか。

　歯医者に診てもらったとしたら、歯を抜かれてしまうのでしょうか。

 早く治療に行きましょう

　おそらくあなたの場合、むし歯で歯が欠けたことにより徐々に進行して痛みが出てきているのだと思います。それはむし歯が広がって神経に届き刺激してきたので、体が早く治してほしいと訴えているのではないでしょうか。

　脅かすようで悪いのですが、ネットで『むし歯で死亡』を検索していただくと放置するのは危険であることが理解できると思います。

　歯科医師は歯科由来の死亡事故に対しては死亡診断書を

書くことができるのです。

　早めに治療に行かれれば抜かれることはないのではと思います。

 親知らずを抜くべきか

　親知らずが左右上下４本ともすべて生えているのですが、これは抜いたほうがよいでしょうか？親知らずが生えてから前歯の歯並びが少し悪くなっているような気がします。もうこれ以上大きくならないと思うのでこれ以上は歯並びに影響がないとは思うのですが……。

　親知らず自体は真っすぐ生えているので、以前に歯医者に行ったときも特に指摘されなかったのでずっとそのままにしています。

　真っすぐ生えた親知らずでも抜いたほうがよいかどうかお教えください。

 抜く必要はありません

　現代人では顎の骨と歯のサイズがアンバランスの方が多く、結果として親知らずが生えるスペースが足りなくなるため、萌出できずに抜歯される方が多いようです。

　当院でも親知らずがある場合には、できるだけ咬ませる

ように治療しています。

　あなたの場合、親知らずを抜歯したからといって前歯の歯並びが治るわけではありません。親知らずは、不潔域にあるからといって積極的に抜歯しようとする先生もいらっしゃるようですが、抜歯にはリスクも伴います。

　しっかりブラッシングして残すことをおすすめします。

 歯周病とタバコの関係

年齢的に歯周病のケアをしなければと思っています。

　歯周病はいろんな原因から起こるようですが、タバコとの関係を詳しく知りたいと思い質問します。

　タバコを吸うと血行が悪くなると聞きますが、一生懸命歯茎のお手入れをして（ブラッシング、マッサージなど）血行をよくすればいくらか影響を受けにくくなりますか？

　タバコは百害あって一利なしといいますから、禁煙するのが一番いいことはわかっていますが、思い切って禁煙できず悪あがきしている次第です。

　だから、タバコがどれだけ悪いのか、思いっきり脅かしてください。

　悩める大人にどうぞお説教をお願いします。

禁煙医師連盟のホームページを

　私は歯科医師も禁煙の重要性を認識すべきであるとの考えで、1992年に結成された日本禁煙推進医師歯科医師連盟に発会当初から参加していました。

　あなたも喫煙が有害であることを充分おわかりのことと思いますが、喫煙の害はあなたが考えられている以上のものがありますので、日本禁煙推進医師歯科医師連盟のホームページの各種資料をぜひご参照ください。

 タバコのヤニについて

　タバコのヤニについて質問です。

　タバコを平均で1日に2箱ほど吸っていて歯の裏が相当汚くなっています。

　1年に1回ほど歯医者さんに行ってきれいになるのですが、またすぐに汚れます。歯磨きは朝夜にしているのですがきれいに保つことができません。磨き方が悪いのか歯磨き粉が悪いのか教えてほしいです。また、何かおすすめの歯磨き粉があればあわせて教えてください。

 禁煙しませんか？

厚生労働省のホームページに喫煙の有害性が書かれていますので、ご参照ください。

また喫煙により歯茎の色も悪くなり、歯周病になってはいませんか。これはクリーニングなどでは改善することはできません。

人間の体を空気清浄機に例えてみるとどうでしょう。

空気清浄機の本体の色は白いものが多く、それは医療機器の色と同じで清潔感と汚れているのをわかりやすくするためだと思います。本体は汚れを拭き取ることできれいになりますが、フィルターは水洗いや交換をしないと初期の性能を発揮できません。

これが人間では肺にあたります。交換や水洗いはできませんよね。

歯は汚れることによって、内臓も汚れているんだよと教えてくれているのです。

歯をきれいにする前に禁煙してみませんか？

歯科医院関連、その他

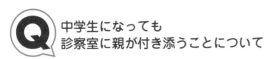

Q 中学生になっても
診察室に親が付き添うことについて

娘は中学生になります。小さいときの歯医者さんでの治

療がトラウマになっているようで、中学生になった今も歯医者へ行かせるのには一苦労しています。

　周りの子たちはもう一人で歯医者さんへ通っているというのに、私は娘に診察室まで付き添わなければいけない状態です。とにかく診療台に上がると泣いてしまうので、落ち着かせて泣きやませるのが私の役割です（泣いたら動いてしまうので治療ができないそうです）。

　これはちょっと過保護なような気もしますが、仕方のないことなのでしょうか？

 歯医者さんを変えてみませんか？

　当院では4歳児でも一人で診療室に入っていただきます。お子さんの自立を促すために、治療の際は診療室内へ保護者の方が立ち入ることは制限させていただいています。そのかわり治療後には診療室に入っていただき、今日の治療箇所をしっかり説明し、お子さんが頑張ったことを保護者の方と一緒に褒めるようにしています。

　お近くでお子さんを多く診られている医院を探されて、自分よりも小さな子どもたちが一人で診療室に入って行くのを見たら、あなたのお子さんも一人で通えるのではないでしょうか？

クリニックを変えるのは

　まだ治療中のむし歯があるのに歯医者さんを途中で変えてもいいものなのでしょうか？

　長いことお世話になっている歯医者さんがあります。治療についても働いている皆さんにも不満は何もありません。でも通うのがつらくなってきました。それというのも歯医者さんが自宅から遠く、検診に行くのもある程度時間がとれないと難しいのです。自宅近くにある歯医者さんに変えたら通うのも楽になると思っているけれど、まだ治療途中の歯もあるし、別のクリニックに変えたらあまりよい気はしないのではないかなと考えてしまい言い出せずにいます。

 担当の先生に相談してみては？

　当院は矯正専門なので、あなたの場合とは違うかもしれませんが、矯正治療中に四国に就職が決まった患者さんがいらっしゃいました。当然通院に負担を生じることから、こちらから転医依頼をしましょうか？とお話ししたところ、月に１回の通院ですからと矯正治療完了まで通院を続けられ、その後東京に転勤になったのを機に保定チェックに来院され、今は北海道に転勤されましたが東京にいらっしゃる際には、わざわざチェックのために来院されています。

歯科で大事なのは信頼関係だと思います。

　あなたが通院でお困りであることを担当の先生に相談されると、お近くの知り合いの先生を紹介してもらえると思いますが、その先生があなたに合わなかった場合を考えると戻りにくくなることも懸念されます。

　あなたの事情で別のクリニックに変えても先生は気にされることはないと思いますが、せっかく信頼関係が築けているのに利便性だけで転医されるのは得策ではないような気がします。

 歯医者さんを選ぶポイントはありますか

　現在むし歯の治療と歯のお掃除で歯医者さんに通っています。

　質問なのですが、近所には歯医者さんがたくさんあります。本当に何軒もあってどこに行けばよいのか迷いました。

　歯医者さんを選ぶポイントというのは何かありますか？現在通っているところは知人に紹介してもらいました。また、○○が○○なところはよい歯医者さんのことが多い、などありましたら教えてください。

信頼関係が築ける医院を

　同業者から見れば治療の良し悪しは簡単に判断できます。

　しかし患者さんが治療を見て判断するのは難しいと思いますので、痛みがとれない、治療跡が目立ち違和感がある、咬み合わせが変化した、などを判断の基準にされるとよいのではないかと思います。

　しかし、むし歯がひどい場合には痛みが長引くこともありますので、その際の説明が充分ならよい歯科医院と言えるでしょう。

　いろいろ質問してみて答えてくれる先生もよいですが、上記のような症状を出さずにピタッと痛みが治まり「男は黙って」の寡黙なタイプの先生もいらっしゃいますので、それをどうお感じになるかでしょう。

　矯正歯科は専門ですのでお話しできますが、基本的に矯正歯科は歯科医であれば標榜できます。しかしこれでは判断基準になりませんので、日本矯正歯科学会は臨床経験・学会発表等の審査に合格した者に認定医の資格を与え、さらに5年毎の更新を義務づけていますので、認定医を取得されていれば安心して受診できると思います。

 歯医者さんが昼休みを長くとっている理由は何ですか？

歯医者さんはお昼休みがとても長いですが、その間は何をされているのでしょうか？

　子どもの頃から病院のお昼休みがとても長いことに疑問を持っていたのですが、病院は長いお昼休みの時間中に出張診療に行ったり、ある程度時間が必要な手術の時間にあてたりするのだと聞いて納得しました。

　産婦人科で出産後の1ヵ月健診をするときなども、他の方の診療時間ではない休み時間などを利用していたので、こういうことに使うのかと納得しましたが、歯医者さんの場合はお昼休みは何をされているのでしょうか。

　難しい手術のような治療の場合は口腔外科をすすめられるので歯医者さんで受けたことはないですし、お昼休みの時間に患者さんが入っているのも見ないので、ずっとかかっていて先に診なければいけない患者さんの予約というわけでもなさそうです。

　近場の歯医者さんが出張診療をしてくれるという話も聞いたことがありません。

　長い昼休みは何のためですか？

 **午前中の患者さんの治療が
延びてしまうことが多かったためでは**

　両親が一般歯科で開業していたときには、午前中の最後に治療時間の読めない患者さんのアポイントを入れていることが多く、そのため診療時間が延長していた記憶があります。

しかし、スタッフの方々にも適切な昼食時間をとってもらえるようにとの配慮から昼休みを長くしていたようです。

　私が現在、歯科医師会の会員の義務として輪番制で従事している、1歳半健診・3歳児健診は午後1時から午後3時に実施されていますので、この参加のための時間でもあります。

 なぜ予約が必要なのか

　私は現在、歯科医院で歯の治療をしています。その歯科医院はそれほど混んではいませんが、次の治療の時期を予約しなければなりません。昔から歯科医は予約が必要だったらしいですね。

　しかし、歯科医の中にはそう患者で混んでいるようには見受けられないところも多くあります。ただ急に歯が痛くなってきたときは診てもらえます。

　歯科医に限らず、初診から次の治療は予約するようになっていますし、多分、人数の調整をしているのだろうと想像するのですが、それほど混んでもいない歯科医なり医院までもが、なぜ予約が必要なのだろうかと、やはり思わざるを得ません。

患者さんのためです

　なぜ予約をしてもらうのかは、患者さんをあまりお待たせしないようにするためです。

　祖父が開業していた頃、今から50年以上前ですが、予約制などはありませんでした。

　私が学校に行く前から大勢の患者さんが順番待ちで表に並ばれていたのを覚えています。冬の朝には寒い中でとても大変そうでしたので、祖母がお茶出しをしていました。

　そんな時代ですから、朝少しでも遅れて来院されると診療が午後になることもあったようです。

　今ではほとんどの歯科医院で計画診療といって、次にどんな処置をするかを決めています。それが時間のかかる治療だったら他の患者さんで時間が必要な方とバッティングしないように、アポイントをしてできるだけお待ちいただく時間を少なくするよう調整をしていますが、急患を随時受け付けている歯科医院では、少しお待ちいただいて診ているようです。

　あなたがそれほど混んでいないと思われている歯科医院や開業したばかりの医院でもいつもすぐ診てもらえるなどと口コミになったときに、混んできて患者さんをお待たせするようなことになりかねないので、最初から予約制にしているのではないでしょうか？

なぜ、歯医者さんは日曜日に営業しないのですか？

　歯医者さんは、日曜日に休まなくてはならないというような決まりでもあるのですか？

　現在、子育てをしながら働いています。平日に行くなんてとても無理なのに、土曜日の予約はいっぱい……。仕事をしている人は、土曜日か日曜日に行きたいと思うのに、土曜日はやっていても日曜日に開いている歯医者さんを見たことがありませんよね。

　平日やっているところもあれば、休日やっているところもある、というように、分けて営業してくれたらいいのに……といつも思っています。

　何か取り決めのようなものがあるのでしょうか？

 運営が難しいからではないでしょうか

　なぜ、内科や小児科に日曜日に休むのですかとは聞きませんよね？同じ医療従事者としては悲しいことですが、歯科医師が過剰だから日曜診療しているところもあるのではないでしょうか。当地の歯科医師会では、休日診療所を運営していて、会員の先生方が年末年始や休日の歯科応急に輪番制で対応しています。

　その協力のため、入会時にはなるべく日曜日にはお休みくださいと言われます。しかし、新規開業の若い先生方は日曜日に診療所を開けている方がいるのも事実です。

それでは何が問題なのでしょう。患者さんは日曜日に診療してもらえる医院だと思って、日曜日のみのアポイントを希望されます。ところがそんな患者さんが増えてくると、応急処置程度の治療しかできなくなり、時間をかけたい治療を予定し平日にアポイントしたくても患者さんが来てくれない。その結果、日曜日のみに患者さんが集中し、平日はガラガラの診療室となるので採算はとれません。

　また、医院のスタッフの中にもあなたと同じように子育てをしながら働いている方もいらっしゃいます。その方は、日曜日には休みたいとは不公平になるので言えませんよね。以前、当院でアシスタントを募集した際にショッピングセンター内の歯科に勤務されていた方が、休日が取りづらく、スタッフの入れ替わりも激しいため、転職されたいと面接にいらっしゃいました。

　また、後輩で開業した当初は無休で診療にあたり過労のため入院し、かえって患者さんに迷惑をかけてしまったこともありました。歯科は過当競争のため、都市部では日曜日に診療している先生もいますが、上記問題の解決は深刻だと思いますから、前述のようにやがて日曜日は休診へと戻しているようです。

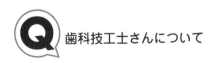

Q　歯科技工士さんについて

歯科技工士さんのことについてお聞きします。

　昔、親がよく話しているのを記憶しております。どこどこの歯科医院の歯科技工士は上手だけれど、どこそこの歯科技工士はダメだ、下手くそだ、というようなことです。

　子どものときはふうんと聞いていました。しかし、今考えると歯科技工士さんて、私たちの差し歯やかぶせものを作ってくれる人なので歯医者さんと同じくらい重要人物ですよね。そういう意味で、いい歯医者さんには必ず上手な歯科技工士さんがいるものですか？

　それとも、最終的には歯科医が調整するのだから、医師の腕にかかっていますか？

 技工士さんの腕は重要です

　現在では技工物も多様化したため、院内に技工士さんを雇用している歯科医院は大変少ないのではないでしょうか？

　ですからほとんどの歯科医院の技工物は技工所への外注だと思います。当然、技工所によって得意なものが違いますので、先生方は使い分けているようです。

　腕のよい技工士さんの補綴物は無調整でセットできるものですし、形成の下手な先生の補綴物もセットできるように作ってきてくれるようです。

　技工物に関して患者さんが判断できるのは、先生がすぐ

にセットして調整も短時間ならよい技工所に外注されているのだなと思っていただいてもよいと思います。

 よい歯医者さんの見分け方は？

よい歯医者さんの見分け方を教えてください。

近くで行きやすい歯医者に通っていたのですが、歯茎にできたできものを、ただの吹き出物と言われ放置されました。

ネットで調べ、絶対、根管治療に関係がある！と思い、歯医者を変えたところ、それから５ヵ月近く神経の掃除を繰り返すはめになりました。

以前の根管治療が悪かったのかも……ということもおっしゃっていたので、それなら心当たりがある。あの歯医者がよくなかったからだと思っています。

いい腕をもっているかどうかは、やはりこういう事態にあって初めてわかることですか？

いい歯医者の見分け方があれば教えてください。

 いい歯医者さんの見分け方

私の後輩が開業したばかりのとき、当然、新しい歯科医院では患者さんがどんなものかと来院されます。そのとき

レントゲンを撮影し、素晴らしい根管治療をしてあった患者さんがいたそうです。

後輩はどこで治療をしましたか？と聞いて「戻られたほうがよいと思いますよ」と、その先生の治療内容を説明したそうです。開業したばかりのときは患者さんが欲しいのは当たり前です。

しかし、患者さんのために他の先生の技術を評価することは、なかなかできそうでできないことだと思います。この後輩は経験を積み、現在は繁盛医院となっています。他医院の評価はしても、批判はしない歯科医がいいと思います。

 歯医者さんが治療を受ける場合は どこで受けますか？

歯医者さんが歯の治療が必要になった場合はどこでどのように治療してもらうのですか？

自分が働いている病院の別の歯医者さんに治療をしてもらうのでしょうか？

それとも歯に関しての知識があり昔から気をつけているので一度も治療したことがないのでしょうか？

もしくは自分が認めている技術の高い歯医者さんに頼むのでしょうか。

美容師さんは自分でカットやカラーリングの練習をし

たり、同じ美容室の別の美容師さんの練習台になったりすると聞きました。

　看護師さんも採血の練習をお互いに同僚同士でしたりするとも聞きましたが、歯医者さんはどうなのだろうと気になりました。

 信頼できる後輩にお願いしています

　私は矯正専門開業医ですから、診療室に治療用具もありません。

　歯の重要性を理解したのは歯科大学に行ってからで、子どものときにできてしまったむし歯のケアは、当院に矯正治療で通われている患者さんの治療をみて後輩の開業医にお願いしています。

　医院から通院に１時間以上かかる都内で開業している同級生の奥さまの矯正治療を任されたときは嬉しかったです。

 歯医者さんは、自己都合で休診することはありますか？

　ふと疑問に思ったので質問させてください。

　歯医者さんはインフルエンザなどの病気にご自身がかかったときは、歯科医院をお休みにされるのでしょうか？

個人病院や歯科医院は代わりに治療をする医師がいないときはどうするのだろうと、ふと疑問に感じました。また、突然の不幸などがあった場合などお休みをすることはあるのでしょうか?

　私が通っていた歯科では歯医者さんの都合でお休み、ということがなかったので皆さんどうしているのかと疑問に思いました。

　歯科はたくさんの予約が入っているので体調不良や休みを取りたいときに大変な仕事だなって思います。

アポイントの変更は極力しないようにしています

　矯正治療は予約制のため、急患がありません。

　基本的に当院の都合でアポイントを変更することはしないようにしていました。

　それは簡単に変更ができるようだと患者さんもアポイントの重要性を認識してくれないのではと考えたからです。

　開業当初は、仕事納めの日から風邪をひきスタッフとの忘年会を欠席し年内は寝ていた、ということがよくありました。この頃はそれもなくなり、開業以来三十数年病気で仕事を休んだことはありません。

　しかし、突然の不幸は予側がつかないため、アポイント時間の変更で対応させていただいています。

　個人開業医の大変さをわかっていただきありがとうございました。

歯医者さんは器用？

　大変失礼な質問とは思いますが、悪意はなく素朴な質問なのでお許しください。

　歯医者さんのお仕事は細かい作業が多いと思うのですが、手先の器用さというのは影響しますか？

　歯医者さんになろうと思う方は、一般的に几帳面な方が多いのでしょうか？

　大雑把な性格の方は向かないのではないかと勝手に思ったりします。

　また、これも失礼に聞こえるかもしれませんが、新人の頃に緊張で手が震えた経験などあるのでしょうか？もちろん歯医者さんも人間ですからそんな経験はあって当然ですよね。

　数々の失礼な質問をさせていただきましたが、お答えいただければ幸いです。

 器用になるのでは

　歯科医は経験職だと思います。大学に在学中、技工実習の宿題を実家で友人たちと製作していたとき、歯科医である父が見かねて手伝ってくれましたが、友人たちも手際の良さにびっくりしておりました。

　また私のむし歯を治療してもらったときにも、同様の感じを持ちました。

長年患者さんを診ていれば、誰でもある程度上手くなるのではないでしょうか？

　昔は病院実習がありましたので、患者さんを前に手が震えることなどなかったと思いますし、切削器具を持って震えているようでは危険で歯科医師は務まりません。

　私は、歯科医はいい意味で職人であるべきだと思っていますし、今日より明日と常に向上心を持って仕事に臨むべきだと思います。

返礼 素朴な疑問に丁寧にご回答いただきまして、ありがとうございます。

　歯科医は職人であるべきという言葉を聞いて、とても納得しました。職人＝神経質、頑固というイメージがありますが、よい意味でそういうタイプの歯医者さんが多くおられますので、職人気質の歯医者さんに診てもらえば安心かなと大いに思いました。

　デンタルンは2015年の夏に休止しましたが、2017年春に運営会社を変え再開されています。その間、私は他のインターネットＱ＆Ａサイトで矯正治療に対する質問に答えていました。専門医以外も回答でき匿名での無責任な回答

や品位に欠けるものも見受けられ、デンタルンのように専門医が実名で責任を持って回答できるサイトが必要だと実感していました。

　デンタルンのサイト運営に携わっていた方と連絡が取れ、新たに『歯科72（ナニ）』というサイトを作成していただき、登録医として質問にお答えしています。

　『歯科72』とは、質問者はできるだけ早く回答が欲しくて相談されることが多いので、原則的に72時間3日以内に回答するよう「72」と「何？」をかけて命名しています。

　デンタルンは一度答えてしまうと再度回答することができないシステムだったので、『歯科72』ではもう少しわかりやすく説明して欲しいなど、質問者との質疑応答ができる形をとっています。

　このサイトの登録医は営利目的ではなく、自分の回答に実名で責任をもって答えています。質問や疑問があればお気軽にご相談ください。

※デンタルンのQ＆Aは、質問の意図や内容を変えることなく、読みやすいように編集して掲載しています。

第 5 章

これからの矯正治療

今後の矯正歯科治療は

ホワイトニングが 2017 年 12 月から特定商取引法の指定を受けました。誇大広告等の禁止、契約締結前・契約締結時の書面交付が義務となり、クーリング・オフなどの規定も適用されるとの連絡が歯科医師会からもありました。ある機材メーカーは、11 月までホワイトニング機器として販売していた機材を 12 月からクリーニング機器として名称を変え、販売を継続していました。

このことからもわかるように、仮に矯正治療が特定商取引法の指定を受けた場合、現在、セラミック矯正やブライダル矯正などと名称をつけている審美歯科治療は、簡単に名前を変えてしまうでしょう。

矯正治療を特定商取引法に指定した場合、健康保険を適用し治療している症例や、医療費控除を受けている症例にはどう対応するのでしょうか。

患者さんの希望で簡単に中断できるようになってしまうと、見た目だけ重視し前歯が治って終了にした結果、側方歯や臼歯の咬み合わせが安定せずに後戻りや不定愁訴の誘因となる可能性もあり、それを中断した患者さんの自己責任にしてもよいのでしょうか。

矯正治療は継続して治療しながら結果を出していくものです。

治療を中断したり再開したりすることで、歯にダメージ

を与えかねず、金銭的にもリスクを増やすことが懸念されます。

　専門医の先生の中には特定商取引法の対象とするより、矯正治療全般を健康保険でできるようにしてもらいたいと思っている先生もいらっしゃいます。

　その考えにも一理あります。現状でも矯正治療に健康保険を適用できる症例は増えてきていますが、実際に治療できる医院は指定自立支援医療機関（更生医療・育成医療）に限られています。

　すべての矯正治療を指定医療機関で保険治療できるように制度化されると、治療できる医院の絶対数は明らかに不足していますので、新たに保険での矯正治療ができる医院を指定しなくてはならないでしょう。

　しかし、矯正治療は医院間による技術レベルの差が大きく、治療法もさまざまですから簡単に保険導入することはできないと思いますし、何より保険料財源の確保が難しいのではないでしょうか。

　矯正歯科を特定商取引法に指定するより、矯正歯科の標榜基準を見直したほうがより患者さんのためになると思います。

　当院では、治療費のお支払いにデンタル・ローンを使用することを患者さんにお勧めしていません。以前、数社の

クレジット会社の営業の方が説明に見えましたが、治療期間が長期になることに対し理解が得られず、さらに現在学会で問題となっている転医に際しての返金にも明確な回答がなかったからです。また金利も高いと思ったからです。

　最近ネットやメディアで、目立たない矯正治療法が話題になっていますが、インビザラインなどの、いわゆるマウスピース矯正といわれる治療法は日本の薬機法（旧・薬事法）では、未承認の矯正材料機器です。そのため、それを使用して矯正治療をするには患者さんに充分説明し、納得を得て同意していただく必要があります。

　さらにそれを使用して治療を行った結果、問題が生じた場合の責任は歯科医師にあるということを明確にしている医院で治療を始めなければなりません。

　実際、充分に説明をして治療を行う医院は少ないようです。

　マウスピース矯正がすべての症例に適応できるか疑問ですし、動きが悪い場合には歯の表面に接着剤を使用してアタッチメントを付与することもあるようです。アタッチメントや審美ブラケットは接着力の強い接着剤で装着されているので、ディボンディング（装置の撤去・接着剤の除去）の際に歯のエナメル質にダメージを与えることは避けられません。

　また、矯正治療をする目的で行う咬合調整やディスキン

グも同様に歯にダメージを与えてしまいます。

　さらに審美を追求するあまり、顎の動きを無視して強引な治療を行うと、見た目はよくなっても咬めなくなったり、顎関節症を引き起こしたりすることも懸念されます。

　上記のような問題を考慮した結果、私はブラケットを装着せずに咬合調整やディスキングも必要としない、目立ちにくい矯正治療法を開発中です。

　東京オリンピック招致にインスパイアされ、表無矯正 ⓡ（おもてなしきょうせい）とし、商標登録も完了しています。

　しかし、矯正治療法のひとつとして開発しましたので、すべての症例に対応できるものではありません。

　それでは、表無矯正 ⓡ とはどんな治療法でしょう。
参考のため他の矯正法も図にしてみました。

唇側矯正：矯正力は歯の表側に接着したブラケットを介して歯の表面にかかっています。

※手は矯正力を表しています。

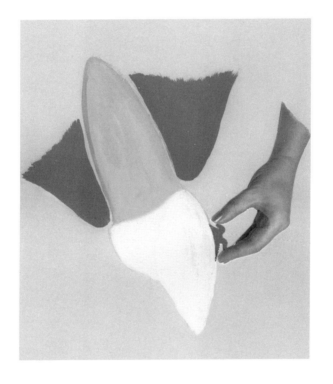

舌側矯正：矯正力は歯の裏側に接着したブラケットを介して歯の裏面にかかっています。

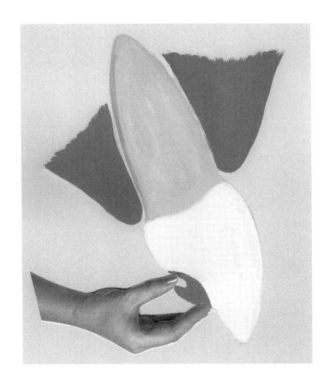

表無矯正 Ⓡ：矯正力は歯を包み込むように歯冠部全体に
かかります。

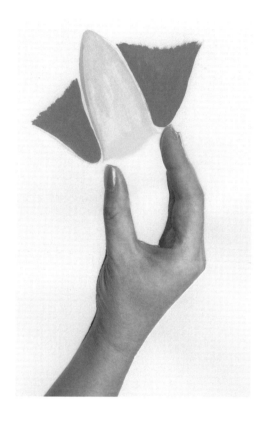

　唇側・舌側矯正とも矯正力は、ブラケットが付いてい
るところで作用しますが、表無矯正では歯冠部全体に力
をかけられます。素面を痛めるボンディングをせずに、
さらに歯質を傷めるディスキングや咬合調整を必要とし
ない、歯に優しい矯正治療法です。

本書 P18 ～ P26、初診時資料の説明での症例は『表無
矯正 ⓡ』で治療しています。

　下の写真は治療開始から半年後の口腔内。この時期か
ら、在宅時にのみ使用する可撤性装置で治療を継続して
います。

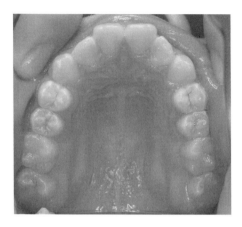

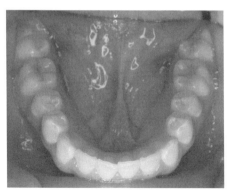

治療開始から1年後に作成したフィニッシング・モデル（石膏模型）

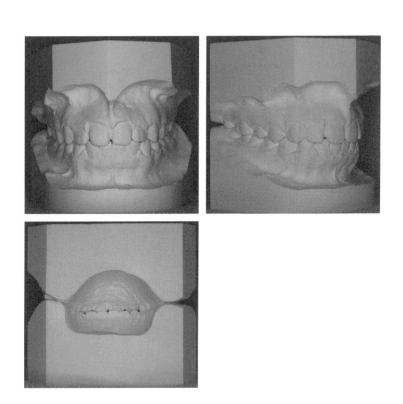

初診時（左）とフィニッシング・モデル（右）の咬合面の比較

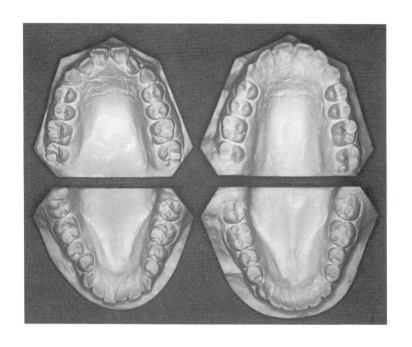

当院の特徴と理念

　当院がどのように矯正治療を行っているのか大体お
わかりいただけたでしょうか。

　当院で行っている治療は、矯正経験のある先生なら
誰でもできる治療ではないでしょうか。

　ただし、そのためには確固たる信念が必要です。

　基本的にすべての患者さんを差別化しない治療を
行っています。

　患者さんに診断結果を説明し、最適な装置での治療
法を提示します。患者さんに治療法を選んでいただく
ようなことはしていません。

　どの治療法で治療しても同じ効果が得られるという
のですか？

　矯正治療のやり直しは難しいとわかっていますか？

　骨折などで松葉杖を使用するとき、医師は金の杖に
しますか銀の杖にしますかとは聞かないと思います。
どうせ治ったら使わなくなるものですから、しっかり
機能が果たせればよいのです。

　そう考えると矯正装置で金額の差をつけるのは、お
かしいと思いませんか。

以前、成人の女性がお母さまと来院され、金額は高くなってもよいので透明な装置で治療してほしい、とお願いされたことがありました。

　その当時からビスフェノールAの危険性は認識しており、患者さんの身体への影響を考慮して使用しない方針であると説明しました。最終的には納得していただき、金属のブラケットで治療しました。完了後、ダメージの少ないきれいな歯面と歯並びに大変満足されていました。

　治療が終わったら外してしまう装置にお金をかけ、歯や身体へダメージを与えてしまう可能性は考慮しないのですか？

　矯正治療をしていることは恥ずかしいことですか？

　矯正治療をするなら安全な装置で治療しませんか。

　矯正治療期間を歯科医師や患者さんが誤解していることは問題だと思います。

　矯正治療期間1～2年といっているのは動的治療期間という、実際に歯を動かしている期間のことです。その後に保定装置を使用する保定期間という、歯を安定させるための期間が必要になります。保定期間は医院によっては、しっかり見極めるために数年間チェッ

クするところもあります。

　これらすべてを含めた期間が矯正治療期間になりますので、１〜２年で終わるなどという治療期間はありえません。

　無責任な医院では、保定装置をつけっぱなしで完了にしている医院もあるようですが、骨折したときなどにギプスを外さないで治りましたなどという医院を信用できますか。

　保定装置がついているということは、治療した矯正医に管理責任があるのを忘れないでください。

　矯正治療は歯がきれいに並んだら終わりではなく、長期的に咬合の管理をしてもらうことだと考えられてはいかがでしょう。

　当院では数年前から、「一応は完了です」とお話ししていますが、患者さんが可撤性の保定装置を継続して使用されている場合などは、チェックを続けています。また、年に数回のスケーリング等のメンテナンスに来院していただくよう、お話ししています。

　患者さんがストレスなく咬むことができ、咬み合わせを誘引とした不定愁訴などを起こすことなく、むし歯も作ることなく、安定した咬み合わせを維持してい

ただけるようにすることが、矯正専門医の務めだと思います。

そのためには成長などを考慮して、長い年数をかけて治療を継続する必要があります。

矯正治療が患者さんにとって楽しい思い出となってもらえればと思いながら、日々診療に従事しています。

おわりに

　巻末に確認書を記載しています。これは矯正治療をされる患者さんの不利益にならないよう、権利を守ってもらえるようにと考えた、お守りのようなものです。コピーしてお使いください。
　医療法の第一章総則の第一条の四2に、「医師、歯科医師、薬剤師、看護師その他の医療の担い手は、医療を提供するに当たり、適切な説明を行い、医療を受ける者の理解を得るよう努めなければならない」と定められています。

　矯正治療を開始する際には、医院及び担当医から確認書に署名をもらっておかれると、無責任な治療をされることはなくなると思います。「書かなくてもちゃんとやりますから」と言ったり、治療費を下げるので勘弁してなどという医院は論外です。
　また集患のため、「日本矯正歯科学会認定医が治療を行っています」などとアナウンスしている医院もあるようです。認定医だから安心して治療をお願いしようと思ったのに、担当医師名を学会ホームページから確認できず、認定医ではない先生に治療をされてしまうなどというトラブルも未然に回避できると思います。

このような理由から確認書への記名を拒否するような医院での矯正治療は受けるべきではありません。

　本書は、矯正治療を標榜するからには責任ある治療をして欲しいとの思いから、当院の治療方針のノウハウを交えて解説させていただきました。

　みなさんが矯正歯科治療により健康な生活を送れるよう願っています。

謝辞：本書に掲載させていただいた患者さんの症例は、すべて同意書をいただいております。
　また実名での記載を許可していただいた先生方に感謝申し上げます。

牛久保 順一

4. 治療にあたり、医療機関の法令、関係省庁の指導をすべて遵守いたします。

　　　　　　　　　　　　　　　　　　　　　　　　　年　　月　　日

歯 科 医 院 名 ：

担当歯科医師名 ：

確認書

---殿

1. 矯正治療を開始するにあたり、治療方針等を充分に説明し、ご納得いただいたことを確認した上で、治療を開始いたします。

2. 治療にあたり、固定性の保定装置を含む矯正装置をすべて撤去するまでが、矯正治療期間と認識して真摯に治療を行います。

3. やむを得ず転居される場合などには、責任を持って転医依頼を行い、過払いとなっている治療費がある場合には誠意を持って返金対応し、矯正治療の継続に支障をきたさないよう留意します。

大切なのは咬み合わせ　矯正歯科がわかる本

2020年8月22日　初版第1刷

著　者 ————————	牛久保　順一
発行者 ————————	坂本　桂一
発行所 ————————	現代書林
	〒162-0053　東京都新宿区原町 3-61　桂ビル
	TEL ／代表　03(3205)8384
	振替 00140-7-42905
	http://www.gendaishorin.co.jp/
イラスト ————————	牛久保　順一
カバー・本文デザイン ————	加持　ゆか

印刷・製本：(株) シナノパブリッシングプレス　　　　定価はカバーに
乱丁・落丁はお取り替えいたします。　　　　　　　　表示してあります。

ISBN978-4-7745-1857-2 C0047